Chère lectrice,

Chaque année, c'est la même chose. Il suffit que l'été pointe son nez pour qu'une délicieuse exaltation nous gagne. Nos esprits s'échauffent sous le timide soleil de juin, nous élaborons les projets les plus fous, nous jaugeons notre garde-robe — et notre silhouette — d'un œil critique, et surtout, nous rêvons. De soleil. De temps libre. De regards échangés. De promesses murmurées. D'une rencontre, peut-être... Songeries inutiles ? Détrompez-vous. Ces images, ces espoirs que nous entretenons en secret sont à la base de nos plus belles histoires. « Sans imagination, l'amour n'a aucune chance », affirmait Romain Gary. Nos héroïnes ne le contrediront pas, elles qui font preuve d'une imagination débridée dès que l'élu de leur cœur se présente. Qu'elles soient expansives comme Ally (Azur N° 2015) et Louise (N° 2020), ou réservées comme Lucinda (N° 2016) et Judith (N° 2019), n'y change rien. Mais ce sont encore les plus déterminées à fuir l'amour qui y pensent le plus souvent, comme Kristy (N° 2018) et Claire (N° 2017), submergées par des sentiments qu'elles se refusent à admettre. Verront-elles leurs rêves devenir réalité ? Je vous laisse le découvrir...

Enfin, pour clore ce programme sur une agréable surprise, nous vous offrons ce mois-ci un coffret qui réunit deux romans Azur inédits (N°s 2021 et 2022) et un roman de la collection Désirs, spécialement réédité pour l'occasion. Nul doute qu'ils feront tous travailler votre imagination !

Bonne lecture,

La responsable de collection

ATTENTION

Programme Azur de juin exceptionnel !

6 titres **inédits** (n°s 2015 à 2020)

2 titres inédits (n°s 2021 et 2022) rassemblés dans un **coffret spécial** avec en cadeau **1 roman GRATUIT** de la collection Désirs.

Pour **36,60 FF*** seulement
(le prix de 2 romans Azur),
vous pouvez profiter
d'un troisième livre gratuit !

3 POUR LE PRIX DE 2

* • **Suisse** : SFr. 10.60 • **Belgique** : 246 FB

Amour ou trahison?

EMMA DARCY

Amour ou trahison?

COLLECTION AZUR

*Cet ouvrage a été publié en langue anglaise
sous le titre :*
A MARRIAGE BETRAYED

Traduction française de
JEAN-BAPTISTE ANDRÉ

HARLEQUIN ®

est une marque déposée du Groupe Harlequin
et Azur ® est une marque déposée d'Harlequin S.A.

*Toute représentation ou reproduction, par quelque procédé que ce soit, constitue-
rait une contrefaçon sanctionnée par les articles 425 et suivants du Code pénal.*
© 1999, Emma Darcy. © 2000, Traduction française : Harlequin S.A.
83-85, boulevard Vincent-Auriol, 75013 Paris — Tél. : 01 42 16 63 63
Service Lectrices — Tél : 01 45 82 47 47
ISBN 2-280-04722-5 — ISSN 0993-4448

1.

Lorsque Kristy Holloway résolut d'interrompre son voyage de Londres à Genève pour faire escale à Paris, elle ne soupçonnait pas que cette décision allait infléchir le cours de sa vie.

L'idée ne faisait pas partie de son plan d'action initial, mais relevait d'une impulsion soudaine. Une impulsion sentimentale, un tribut à Betty et à John, ses parents adoptifs. Ce crochet par Paris, elle le devinait confusément, lui permettrait d'apaiser la culpabilité qu'elle éprouvait à leur égard. Car jamais, de leur vivant, elle n'aurait osé se rendre à Genève...

Mais tous deux étaient morts, désormais, et elle ne pouvait plus ni les blesser, ni les offusquer. Elle chérirait pour toujours l'amour qu'ils lui avaient porté, et le garderait en son cœur comme le plus précieux des trésors.

Ce ne fut pas sans émotion qu'elle leva les yeux sur la façade Renaissance de l'Hôtel du Soleil Levant, quand le taxi parisien la déposa enfin à l'adresse qu'elle avait indiquée. L'hôtel, l'un des plus prestigieux de la ville, bénéficiait d'une position privilégiée entre l'Avenue des Champs-Elysées et les Tuileries. Kristy songea que même la plus petite chambre ferait un trou conséquent dans ses finances, avant de repousser fermement toute considération d'ordre financier. L'hommage qu'elle s'apprêtait à offrir à ses parents adoptifs ne se mesurait pas en termes pécuniaires.

Quelque quarante ans plus tôt, Betty et John Holloway avaient passé trois jours de leur lune de miel en ces lieux. Cette extravagance leur avait valu des souvenirs merveilleux, que Betty avait à de multiples reprises racontés à Kristy. Souvenirs qui avaient été ravivés par la vieille carte postale de l'hôtel qu'elle avait trouvée dans les affaires de John, après sa mort.

En finir avec le passé... Tel était le but de son voyage pour Genève. Car après ce court séjour à Paris, pèlerinage silencieux sur un lieu qu'avaient tant aimé John et Betty, elle se rendrait en Suisse pour tenter de découvrir enfin, au quartier général de la Croix-Rouge, l'identité de ses véritables parents.

Depuis la mort de John, elle se sentait à la dérive. Un sursaut de lucidité l'avait enjointe, tout récemment, à reprendre le contrôle de sa vie. Il lui fallait, se répétait-elle avec une fermeté nouvelle, canaliser l'agitation et les désirs confus qui bouillonnaient en elle.

Aussi avait-elle tout quitté pour entreprendre cet étrange voyage. Elle ignorait encore ce qu'elle désirait, ce qu'elle attendait de l'existence. Mais elle ne doutait pas de le découvrir si elle saisissait enfin l'avenir à bras-le-corps.

Bien sûr, il lui serait toujours possible de reprendre sa carrière d'infirmière lorsqu'elle le voudrait, mais elle n'y était pas encore prête. La longue période durant laquelle elle avait aidé John à lutter contre le cancer — en vain — l'avait épuisée, et ne lui donnait guère envie de rejoindre le milieu médical pour le moment.

Il en était de même dans le domaine sentimental. Trevor avait fini par la quitter, irrité du temps croissant qu'elle passait au chevet de son père adoptif. L'honnêteté l'obligeait cependant à avouer qu'elle ne regrettait rien. Trevor, en effet, ne lui avait jamais fait connaître les frissons de l'amour — à supposer qu'ils existent, naturellement.

A vingt-huit ans, elle se trouvait donc sans carrière, sans compagnon, sans attache d'aucune sorte. « Et figée au beau milieu du trottoir depuis une bonne minute », songea-t-elle avec un sourire d'autodérision.

Elle se décida donc à traverser. Mais, comme elle approchait du perron de l'hôtel, un premier incident la fit douter de l'opportunité de cette escale parisienne. Le portier, en effet, après avoir adressé quelques mots à un couple élégant qui sortait de l'hôtel, l'aperçut et arbora une telle expression que Kristy s'immobilisa au bas des marches. Sur le visage de l'homme, l'incrédulité succéda à la stupeur, avant de se muer en véritable horreur.

Kristy se retourna instinctivement pour s'assurer que c'était bien elle qui venait de provoquer une telle réaction. Constatant qu'elle était seule, elle se demanda si son jean et ses baskets étaient la cause d'un tel étonnement. Sa tenue n'avait rien de particulièrement élégant, certes, mais elle supposait que les clients de l'hôtel n'y arrivaient pas tous en smoking et en robe de cocktail.

Redressant le menton d'un air déterminé, Kristy gravit lentement les marches du perron. Tant qu'elle payait sa chambre, nul ne pouvait l'empêcher de séjourner en ces lieux. Le regard méfiant que lui dardait le portier n'était que le reflet d'un snobisme qu'elle décida de désarmer d'un sourire aimable.

Son sourire avait toujours été son arme la plus efficace, bien que Betty lui eût souvent répété qu'elle était une arme tout entière avec ses cheveux d'un blond tirant sur le roux et ses yeux d'un bleu très pur. Il ne produisit cependant pas l'effet escompté sur le portier, qui en parut plus alarmé encore qu'auparavant. En désespoir de cause, Kristy tenta de l'impressionner par son parfait usage du français.

— Bonjour, monsieur, dit-elle d'un ton suave.

Elle avait toujours manifesté un talent inné pour les langues, ce qui lui avait permis de s'adapter sans mal aux différents pays où John, qui occupait un poste important dans l'armée, avait été muté.

— Bonjour, madame.

Il n'y avait aucune chaleur dans sa réponse, tout juste polie. L'homme paraissait excessivement mal à l'aise, et elle renonça à le corriger sur l'emploi du « madame ». D'un geste, il fit signe à un chasseur de venir prendre ses bagages. Au moins ne lui refusait-il pas l'admission dans les lieux...

Elle songea vaguement à donner un pourboire au portier, mais nota qu'il paraissait soucieux de se débarrasser d'elle au plus vite. Avec un haussement d'épaules, elle pénétra donc dans le hall, précédée du groom.

Le réceptionniste redressa la tête en la voyant

approcher — et son visage connut les mêmes trans-formations que celui du portier. Pourquoi diable tiraient-ils tous cette mine effarée en la voyant arriver ? s'interrogea-t-elle avec stupéfaction. Détonnait-elle donc à ce point dans cet hôtel ?

Elle s'arrêta au milieu du hall, déterminée à s'imprégner de l'atmosphère de l'hôtel avant d'en être expulsée. Elle n'était venue que pour retrouver l'ambiance évoquée par sa mère adoptive et y communier, fût-ce l'espace de quelques instants seulement.

« *Baigné d'une lumière dorée... Magique.* » Tels avaient été les mots de Betty pour décrire les lieux. Et de fait, les murs de marbre semblaient dégager une chaude clarté, renforcée par l'échiquier coloré du sol. L'opulence de l'endroit, que sa mère n'avait pas exagérée, se vérifiait jusque dans les tenues des quelques clients essaimés sous les lustres de cristal. Aucun ne portait de jean, encore moins de tennis.

Kristy comprit en un instant qu'elle n'avait pas sa place en ces lieux. Betty et John, à l'époque, y étaient certainement descendus dans leurs meilleurs atours. Un séjour à l'Hôtel du Soleil Levant ne se décidait pas sur un simple coup de tête.

A présent qu'elle était dans la place, cependant, il aurait été ridicule de ne pas tenter sa chance. Tout ce qu'elle désirait, c'était une chambre pour la nuit. Une fois qu'elle y serait enfermée, personne n'aurait plus à s'offusquer du spectacle qu'elle offrait.

Reportant son attention sur la réception, elle constata que le chasseur montait la garde près de sa valise. Bien qu'outrée de la qualité de l'accueil, Kristy se rappela que tous ces gens ne signifiaient rien pour elle et s'avança d'un pas ferme.

Le réceptionniste était un homme d'une cinquantaine d'années, au visage émacié et à la calvitie prononcée.

— En quoi puis-je vous être utile, madame?

Kristy retint une réplique acerbe. Son vis-à-vis n'avait apparemment aucune intention de lui être utile, et souhaitait sans doute se débarrasser d'elle au plus vite.

— Je veux une chambre pour ce soir. Juste pour ce soir, souligna-t-elle, espérant que la brièveté de son séjour lui vaudrait une plus grande tolérance.

L'autre hésita, une lueur d'incertitude dans le regard.

— Eh bien, nous avons une suite...

Kristy l'interrompit d'un geste sec. Il avait sans doute espéré la décourager par les tarifs d'une suite...

— Je veux une chambre, répéta-t-elle. Pas une suite. Pour une nuit. Dois-je comprendre que vous ne pouvez pas me loger?

Son ton glacial lui valut une œillade effrayée. L'homme parut rétrécir dans son costume strict, déglutit convulsivement et secoua la tête.

— Si, madame. Nous allons vous trouver une chambre.

— La moins chère, s'il vous plaît.

— Oui, madame, répondit l'autre, manquant s'étrangler.

Il poussa vers elle le registre d'inscription, que Kristy remplit avec une certaine jubilation. Il lui semblait avoir remporté une victoire contre le snobisme mesquin du personnel.

Après avoir indiqué son nom et signé dans la case

réservée à cet effet, elle rendit le registre. L'employé y jeta un regard discret, et écarquilla légèrement les yeux. Peut-être s'étonnait-il de la découvrir citoyenne américaine et non française...

Cela n'expliquait pas, en revanche, pourquoi il tremblait lorsqu'il tendit la clé d'une chambre au chasseur, avec un signe en direction des ascenseurs. Mue par un mélange de fierté et de provocation, Kristy s'attarda quelques instants dans le hall pour bien faire comprendre qu'elle n'appréciait pas d'être bousculée.

Un couple assis dans un coin attira bientôt son attention. La femme était une brune superbe, vêtue d'un tailleur noir et blanc qui sortait sans nul doute des ateliers d'un couturier réputé. Son compagnon était plus remarquable encore, peut-être par sa taille inhabituelle, qui se devinait malgré sa position assise. Son front haut dominait un nez impérieux, auquel une légère irrégularité apportait un charme indéniable. Ses traits étaient réguliers mais portaient le sceau d'une âpreté virile, intimidante. Son costume gris, certainement taillé sur mesure, n'atténuait en rien la grâce fauve qui émanait de toute sa personne.

Une étrange impression taquina Kristy, tandis qu'elle l'observait : celle d'avoir déjà rencontré cet homme. Mais il était de ceux dont une femme se rappelle, ce qui infirmait cette hypothèse. Elle continua cependant de l'étudier avec une attention accrue.

Ses cheveux étaient d'un noir profond, en parfait accord avec la belle sévérité de son visage. Ses sourcils, tout aussi ténébreux, semblaient dessiner un arc interrogateur et vaguement moqueur. Ses yeux,

13

sombres et mobiles, ne devaient rien laisser échapper. Sa bouche, par contraste, était d'un rouge profond et d'un dessin sensuel. Un léger sourire flottait en cet instant sur ses lèvres, teinté d'ironie. Kristy évaluait son âge à trente-cinq ans environ.

Elle se surprit à envier la femme qui se trouvait avec lui. Les deux avaient certainement quelque chose à fêter, à en juger par la bouteille de champagne qui reposait, entre eux, dans un seau d'argent. « Leur lune de miel, peut-être ? » se demanda-t-elle avec un inexplicable dépit.

Puis l'homme sourit plus franchement à sa compagne, et son magnétisme déjà peu commun s'en trouva décuplé. La gorge nouée, Kristy regretta que ce sourire ne lui fût pas destiné.

Un rapide coup d'œil en direction de l'ascenseur lui indiqua que le chasseur s'impatientait, mais elle s'en moquait. Elle n'avait pas réclamé ses services, après tout. N'était-elle pas libre d'agir comme bon lui semblait, en tant que cliente de cet hôtel ? Le couple qu'elle avait étudié faisait certainement ce qu'il voulait, lui !

Avec un ressentiment parfaitement étranger à son caractère, elle se tourna de nouveau dans sa direction. Aussitôt, l'homme pivota comme s'il avait senti quelque chose le frapper. Ses yeux se fixèrent sur Kristy avec une force qui la cloua sur place. Il se leva lentement, tout son être exprimant... quoi ? De la surprise, de la haine, de la colère ?

Il tendit la main vers Kristy mais balaya au passage sa flûte de champagne, qui alla valser sur le sol de marbre où elle se brisa net. Machinalement, l'homme baissa les yeux vers les débris de la flûte.

Puis il regarda de nouveau Kristy, avec une telle intensité qu'elle crut y percevoir une accusation.

La scène paraissait s'être déroulée au ralenti. Kristy sentait les pulsations lourdes et hypnotiques de son sang contre ses tempes, des frissons étranges lui parcourir le corps. Une transe mystérieuse l'avait saisie, dont elle ne sortit que lorsque le chasseur la tira par la manche.

— Votre chambre, madame.

— Oui... Oui, bien sûr.

Sur des jambes tremblantes, elle s'éloigna de la scène embarrassante qui venait de se dérouler. Déjà, des serveurs se précipitaient pour réparer les dégâts. La femme s'était levée à son tour et parlait avec véhémence à son compagnon.

Tout en pénétrant dans l'ascenseur, dont le groom lui tenait la grille ouverte, Kristy se répéta qu'elle n'était pour rien dans ce qui venait d'arriver.

— Un malencontreux incident, commenta-t-elle à l'intention du jeune chasseur, pour rompre le silence.

— Scandaleux, ajouta l'intéressé en appuyant sur un bouton.

Les portes de l'ascenseur se refermèrent sur le hall, et le groom répéta d'un ton de tragédien antique :

— Absolument scandaleux.

Bien qu'étonnée de sa véhémence, Kristy ne répondit rien et réfléchit en silence à l'étrange expérience qu'elle venait de vivre. Jamais de son existence elle n'avait ressenti une telle émotion, mélange indistinct de peur, d'expectative, d'excitation. Peut-être le chagrin consécutif à la disparition de John avait-il affecté son système nerveux ? Oui, ce devait être cela. Bouleversée comme elle l'était, elle ressentait la moindre perturbation telle une agression violente.

Elle ne parvenait, cependant, à se défaire de l'étrange impression d'avoir connu cet homme dans une autre vie. Ou plutôt, que *lui* l'avait rencontrée dans une autre vie, et qu'il venait de la reconnaître.

Un léger sourire se dessina sur ses lèvres. Ce lieu magique, semblait-il, faisait décidément galoper son imagination...

L'ascenseur s'arrêta enfin et Kristy en sortit, fermement décidée à ne plus se laisser troubler ou embarrasser par quoi que ce fût durant le reste de son séjour. Le groom l'introduisit dans une chambre luxueuse, et elle songea en la voyant qu'elle avait bien fait de demander la moins chère de l'hôtel. La perspective de la note qu'il lui faudrait payer le lendemain lui arracha une grimace, mais elle se morigéna aussitôt : elle était ici pour s'imprégner de l'atmosphère unique du lieu, et toute considération financière était hors de propos.

Comme elle cherchait quelques pièces dans son sac, pour donner un pourboire au garçon d'étage, ce dernier lui passa sous le nez et s'éclipsa en direction de la porte. Réprimant un soupir de frustration, Kristy entreprit un tour du propriétaire. Au moins ne dérangerait-elle personne, ici, et ne serait-elle dérangée par personne.

La chambre, bien que relativement petite, était élégante, tendue de tissus beiges et ocre. Certains meubles étaient manifestement anciens, tandis que d'autres, plus récents, laissaient supposer que la décoration était régulièrement mise au goût du jour. L'ensemble était très réussi. La salle de bains, toute de marbre, n'était pas en reste et offrait un luxe inouï. Il était facile de comprendre pourquoi John et Betty, jeunes mariés, avaient trouvé l'endroit enchanteur.

Kristy venait à peine de déballer ses affaires lorsqu'elle entendit frapper à la porte. Elle alla ouvrir et découvrit un homme d'allure distinguée, en costume sombre et cravate rayée. Ses joues étaient rondes et rouges comme des pommes. Un sourire bonhomme flottait sur ses lèvres.

— Pourriez-vous m'accorder quelques instants, madame? demanda-t-il d'un ton affable.

— Certainement. Mais... qui êtes-vous?

— Très drôle, madame, répondit l'autre avec un gloussement. Puis-je entrer?

Kristy fronça les sourcils, hésitante. L'homme avait beau paraître inoffensif, il n'en demeurait pas moins un parfait étranger. Et ses manières étaient pour le moins bizarres...

— Que voulez-vous, au juste? interrogea-t-elle sans bouger d'un iota.

— Eh bien... Cette chambre, expliqua-t-il avec une grimace. Il y a eu une erreur.

— Oh.

En une seconde, Kristy comprit qu'il s'agissait du directeur de l'établissement. Voulait-il lui signifier que la chambre qui lui avait été allouée n'était pas la moins chère de l'hôtel, ou souhaitait-il simplement la mettre dehors?

Il se tordit les mains, en un geste trahissant une anxiété certaine. Craignait-il qu'elle fît un scandale?

— Une regrettable erreur..., reprit-il.

Elle le fixa sans mot dire, se demandant comment

17

réagir. Si le personnel l'avait prise en grippe, elle pouvait fort bien leur mener la vie difficile.

— Si vous voulez bien m'excuser, je vais vous demander de quitter cette chambre. J'espère que vous n'aviez pas commencé à vous installer?

Kristy prit une profonde inspiration, luttant pour conserver son calme. Elle pouvait fort bien refuser de partir, ou réclamer un dédommagement à l'hôtel. Mais tout cela en valait-il bien la peine? A quoi bon remporter une victoire mesquine contre un système qui ne changerait de toute façon pas d'un iota?

— Si vous permettez, madame, je vais vous conduire dans une chambre plus... adaptée à vos besoins, déclara son interlocuteur avec une exquise politesse.

Kristy eut un soupir de soulagement. Ainsi, on n'essayait pas de la mettre à la porte... C'était déjà cela de gagné.

— Vous êtes d'une courtoisie et d'un tact rares, monsieur, répondit-elle avec un sourire narquois.

L'autre ne parut pas percevoir l'ironie du propos, car il se rengorgea et hocha fièrement la tête.

— Nous avons une réputation d'efficacité et de discrétion à laquelle nous tenons, en effet.

— Cette chambre où vous voulez me conduire... J'espère qu'elle n'est pas chère? demanda Kristy sans s'embarrasser de précautions oratoires. Je n'ai pas beaucoup d'argent sur moi et...

— N'en dites pas plus, madame. Nous sommes à votre service.

— Eh bien... d'accord. Le temps de prendre ma valise...

— Oh, je vous en prie, je m'en chargerai pour vous.

18

Surprise de le voir jouer les porteurs, Kr...
s'écarta et lui fit signe d'entrer. Il prit sa valise,
attendit patiemment qu'elle eût récupéré son sac à
main et referma la porte derrière eux. Elle le regarda
faire à regret, songeant qu'elle avait commis une
énorme erreur en descendant à l'Hôtel du Soleil
Levant. Il était impossible de revivre le passé, et elle
avait été stupide de s'imaginer le contraire.

Son compagnon la conduisit le long d'un majes-
tueux corridor puis, parvenu à l'autre extrémité, tira
de sa poche un trousseau de clés que Saint-Pierre en
personne n'aurait pas renié. Il ouvrit enfin la porte
d'une nouvelle chambre et, avec force circonvolu-
tions de la main, fit signe à Kristy de le précéder.

— Madame, votre chambre, annonça-t-il d'un ton
de bateleur, avec un sourire d'intense satisfaction.

Elle s'avança, balaya d'un regard rapide la pièce
dans laquelle elle venait d'entrer et se figea. De qui
se moquait-il ? Lui faire quitter sa petite chambre
pour lui donner une suite d'un luxe extravagant relevait d'une intense perversion, surtout après qu'elle
avait souligné la modestie de ses moyens financiers.

— Je ne peux pas me permettre ça, protesta-t-elle.

— Madame est notre invitée, répondit le directeur
d'un air offusqué. Madame n'aura pas à débourser
un sou.

— Je... Je crois qu'il doit y avoir erreur.

— Madame... hmm... Holloway, reprit son compagnon avec un clin d'œil entendu. L'erreur a été
rectifiée.

Il pénétra dans la pièce, un immense salon ouvrant
sur une terrasse privée, et déposa son sac de voyage
sur l'élégant tapis qui recouvrait le parquet. Kristy le

regarda faire d'un air dubitatif, se demandant ce qui lui arrivait. Il devait y avoir eu une confusion quelque part... Pourtant, le directeur avait employé le bon nom lorsqu'il s'était adressé à elle. Même si l'emploi persistant de ce « madame » l'intriguait. Il n'était certainement pas difficile de remarquer qu'elle ne portait aucune alliance.

— Etes-vous sûr que cette suite est pour moi ?

— Certainement, répondit le petit homme avec un sourire de contentement.

Avec un haussement d'épaules, Kristy décida d'accepter la situation, aussi étrange fût-elle. Elle ne se sentait guère d'humeur de parcourir Paris à la recherche d'une nouvelle chambre d'hôtel. Si le directeur entendait lui confier une suite, elle l'acceptait. Ce n'était pas faute d'avoir souligné qu'elle n'avait pas d'argent.

— Une dernière chose, madame Holloway...

— Oui ?

Le directeur de l'hôtel traversa le salon et se dirigea vers une double porte qui s'ouvrait dans le mur du fond, à l'opposé de la chambre. Là, il inséra une petite clé dorée dans la serrure.

— A utiliser comme bon vous semblera, annonça-t-il avec componction.

Kristy lui retourna un regard de totale incompréhension. Que voulait-il dire par là ?

Son compagnon tourna la clé dans un sens, leva un sourcil complice et murmura :

— Fermé...

Puis il donna un autre tour, en sens inverse cette fois, et dit en gloussant :

— Ouvert. Je vous laisse user de cette porte à votre convenance.

— Je... je ne sais pas..., bafouilla Kristy, totalement abasourdie par la tournure des événements.

— N'en dites pas plus, madame. N'en dites pas plus. Tact, discrétion et diplomatie sont notre métier.

Retirant la clé, il revint vers elle et la lui mit dans la main.

— Monsieur...

— Vous êtes notre invitée. Vous n'avez rien à payer. Si cette... hmm... délicate situation peut être résolue, j'espère que vous vous souviendrez de moi.

Et, avec une courbette et un de ces gloussements dont il semblait être coutumier, il quitta la pièce. Kristy resta longtemps immobile, consciente d'être victime d'une énorme erreur.

Elle fronça les sourcils comme les derniers mots de son compagnon lui revenaient à l'esprit. Il avait parlé d'une « délicate situation ». De quoi s'agissait-il? Elle n'en avait pas la moindre idée. A l'instar d'Alice, la jeune héroïne de Lewis Caroll, il lui semblait avoir pénétré dans une dimension parallèle en mettant les pieds dans cet hôtel.

La discrétion lui recommandait de partir avant qu'il fût trop tard, avant qu'un « terrible scandale », pour reprendre les mots du garçon d'étage, n'éclatât.

Un rire nerveux lui échappa. Son séjour en ces lieux, décidément, était loin d'être aussi reposant qu'elle l'avait espéré. Une étreignante sensation de solitude l'assaillit brusquement, lui murmurant que son voyage à Genève serait certainement un échec.

Son désarroi était tel qu'il balaya l'énergie qui l'avait poussée à entreprendre ce voyage. Soudain exténuée, elle ne se sentit même pas le courage de redescendre à la réception pour signaler l'erreur dont elle était l'objet. A quoi bon, d'ailleurs ? Elle avait essayé d'expliquer les faits au directeur de l'hôtel, qui n'avait rien voulu entendre.

Redoutant de devoir déménager une nouvelle fois, elle décida de ne pas défaire ses bagages et baissa les yeux vers la clé dorée qu'elle avait en main. Peut-être les réponses à ses questions se trouvaient-elles derrière cette porte ?

Le souvenir de Pandore, qui avait libéré tous les fléaux du monde en ouvrant une simple boîte, la dissuada néanmoins de céder à la curiosité. Abandonnant la clé sur un guéridon, elle sortit sur la terrasse, décidée à profiter de tout ce luxe avant d'en être privée.

La vue était digne d'une carte postale. La tour Eiffel, l'Arc de Triomphe, la place de la Concorde s'étendaient sous ses yeux en un ordonnancement parfait, fruit d'un génie millénaire. Kristy, cependant, constata après quelques minutes qu'il lui était impossible de se concentrer sur le paysage et, mue par une étrange agitation, elle revint dans la chambre.

La clé brillait sur le guéridon où elle l'avait laissée, accrochant un rayon du soleil déclinant. Ce simple bout de métal exerçait sur elle une fascination hypnotique, au point qu'elle tressaillit violemment lorsque deux coups furent frappés à sa porte.

« Ils ont découvert leur erreur », songea-t-elle. Et elle fut heureuse, en cet instant, de ne pas avoir cédé à sa curiosité.

Elle s'était attendue à ouvrir au directeur, et fut particulièrement surprise de voir entrer une femme de chambre. Cette dernière portait un vase élégant duquel jaillissaient des roses graciles. Elle le déposa sur le guéridon, près de la petite clé, et se retira sous le regard médusé de Kristy.

Cette dernière croyait avoir atteint le comble de l'étonnement, mais constata qu'elle s'était trompée lorsque l'on frappa de nouveau à sa porte. Cette fois, ce fut un groom qui entra, avec une bouteille de champagne et une corbeille de fruits.

Kristy les étudiait avec méfiance, se demandant s'il ne s'agissait pas de cadeaux empoisonnés, quand on frappa pour la troisième fois. Abasourdie, elle ouvrit à la femme de chambre qui avait apporté le vase. Sans un mot, la jeune femme déposa dans la salle de bains un lot de serviettes moelleuses, de savons et d'eaux de toilette.

Restée seule, Kristy s'assit lourdement sur le canapé, tentant de trouver un sens à ce qui lui arrivait. Elle était traitée comme une reine mais, paradoxalement, elle ne pouvait se résoudre à en profiter. Il lui semblait de plus que ces cadeaux étaient, d'une façon ou d'une autre, liés à la petite clé dorée. Peut-être était-il temps de l'utiliser et de résoudre ce mystère avant de se trouver entraînée trop loin...

« Juste un coup d'œil », se dit-elle.

« Ça ne te regarde pas », protesta, en elle, la voix de la raison.

« Mais si. Si je suis victime d'une erreur, autant l'éclaircir au plus vite. »

Le directeur de l'hôtel lui-même ne l'avait-il pas autorisée à utiliser la clé? Elle ne ferait sans doute rien de mal en glissant un œil de l'autre côté de la porte à double battant.

Ignorant délibérément l'appréhension qui lui nouait l'estomac, elle s'approcha lentement, inséra la clé dans la serrure. Après une dernière hésitation, elle la fit tourner. Elle prit ensuite une profonde inspiration puis, se répétant qu'elle agissait sagement, elle entrebâilla le battant.

Elle s'était presque attendue à se faire attaquer par une créature monstrueuse dissimulée de l'autre côté de la porte, mais rien ne se passa. Il n'y eut ni bruit, ni mouvement, ni réaction d'aucune sorte. S'enhardissant, elle ouvrit en grand et découvrit un salon semblable au sien.

Elle resta immobile durant de longues secondes, l'oreille aux aguets. Comme elle n'entendait toujours rien, elle s'aventura à faire un pas dans la pièce voisine, puis un autre.

Le cliquetis d'une clé la figea sur place. Horrifiée, elle se tourna vers la porte qui donnait sur le couloir de l'hôtel et la vit pivoter lentement sur ses gonds. Lorsqu'elle reconnut celui qui entrait, elle se crut sur le point de défaillir.

Il s'agissait de l'homme qui l'avait dévisagée avec une telle intensité, une heure plus tôt, dans le hall de l'hôtel.

Kristy constata, malgré sa confusion et sa frayeur, que l'inconnu ne paraissait pas le moins du monde surpris de la voir. Il lui souriait, non de la façon chaleureuse dont il avait souri à sa compagne, mais d'une manière froide et cynique.

Sans un mot, comme s'il estimait normal de découvrir une parfaite étrangère au beau milieu de sa suite, il referma la porte. Kristy aurait juré, sans savoir l'expliquer, qu'il s'était attendu à la trouver là.

Pourtant, comment aurait-il pu prévoir qu'elle

céderait à sa curiosité? Il ne la connaissait ni d'Eve ni d'Adam !

Elle voulut s'enfuir en courant, mais ses muscles s'étaient tétanisés. Elle ne put donc qu'assister, impuissante, à l'approche lente et féline de l'étranger...

2.

pouvais

— Quelle surprise...

L'homme s'était arrêté à un mètre d'elle, et venait
de parler d'une voix suave et narquoise. A cette distance, cependant, Kristy pouvait constater que sa
façade moqueuse n'était qu'une apparence. Une
lueur farouche brillait dans son regard, mélange de
haine, de reproches et de souffrance.

— Qu'as-tu à dire pour ta défense? reprit-il d'un
ton plus sec.

Sa voix était grave, profonde, d'un velouté étonnant. Kristy en oublia presque, en l'entendant, la
choquante familiarité dont il faisait preuve en la
tutoyant. Sans doute la prenait-il pour un rat d'hôtel,
une vulgaire voleuse, et entendait-il lui signifier
ainsi son mépris.

— Je regrette..., commença-t-elle.

Mais son vis-à-vis ne la laissa pas achever sa
phrase.

— Tu regrettes? répéta-t-il d'un ton incrédule.
C'est tout ce que tu trouves à dire, après ce que tu as
fait?

Effarée par sa virulence, Kristy jeta un regard instinctif en direction de la porte de communication. Mais l'homme s'en aperçut, car il la contourna pour lui barrer le passage.

— Oh, non, ma chérie...

L'aura de violence et de sauvagerie qui émanait de lui suffit à la convaincre de ne pas bouger. Il aurait été dangereux de le provoquer davantage, après avoir excité sa colère en s'introduisant chez lui.

— Tu ne partiras pas avant de m'avoir tout expliqué, précisa-t-il, menaçant.

Kristy déglutit péniblement. Une tension presque électrique agitait tout son être, et le simple fait de parler lui coûta un intense effort de concentration.

— C'est très simple..., commença-t-elle.

Elle regretta aussitôt ses propos en constatant que la fureur de son compagnon en était accrue.

— Très simple ? s'exclama-t-il avec un rire noir. Deux ans ! Deux ans de solitude, et tu prétends que tout est très simple ?

Kristy le dévisagea, interdite. De quoi parlait-il ?

— Je ne vois pas où vous voulez en venir...

A son grand soulagement, l'homme parut se calmer quelque peu. Laissant planer un court silence, il se réfugia derrière la façade ironique qu'il avait arborée jusque-là. Il semblait avoir ravalé sa colère, mais l'eau de son regard était encore trouble, vaguement inquiétante.

— Qu'espérais-tu en venant ? Que j'allais te prendre dans mes bras et t'embrasser ? s'enquit-il avec un rictus désagréable.

— Bien sûr que non ! répliqua Kristy, outrée et stupéfaite tout à la fois.

— Tu comptais peut-être m'avouer ton amour, alors ? suggéra-t-il, haussant un sourcil moqueur.

Kristy avait peine à en croire ses oreilles. Pour qui la prenait-il ? Une call-girl entreprenante qui avait pénétré dans sa chambre dans l'espoir de tenter sa chance avec lui ?

— C'est ridicule ! protesta-t-elle.

L'autre se mit de nouveau à rire, mais il n'en parut que plus menaçant.

— Ridicule, en effet... Tu espérais peut-être que j'allais te faire l'amour ? Satisfaire tes désirs les plus secrets ?

— Non ! Absolument pas ! se récria Kristy, déconcertée par le trouble qu'il venait d'éveiller en elle.

— Dans ce cas, je vais te dire ce que je pense de toi, déclara son compagnon d'un ton méprisant. Tu n'es qu'une petite garce sans cœur ! Tu es lâche ! Lâche et indigne !

Le choc la paralysa durant quelques instants, puis la colère vint à son secours. Sans réfléchir un instant aux conséquences de son geste, elle leva la main et gifla son interlocuteur, si fort qu'il fit un pas en arrière. Avec satisfaction, elle vit des zébrures rouges apparaître sur sa joue, à l'endroit où elle l'avait frappé. Jamais elle ne s'était sentie aussi en colère de toute sa vie.

— Vous pouvez garder vos insultes pour vous ! se récria-t-elle, prête à se battre bec et ongles pour défendre son honneur.

L'inconnu n'avait aucun droit de la traiter ainsi. Elle s'était introduite dans sa chambre, certes, mais avec la bénédiction du directeur de l'hôtel.

Il lui darda un regard noir et intense, qu'elle affronta sans ciller. Leurs volontés se heurtèrent de plein fouet, en un silencieux fracas, et Kristy sentit une étrange émotion naître au creux de son ventre, lui picoter la peau, infuser son sang.

D'une certaine façon, et bien que la chose fût parfaitement inexplicable, il lui semblait connaître cet homme. Une reconnaissance tacite venait de passer entre eux, plus forte encore que la première fois qu'ils s'étaient vus, dans l'entrée. Atterrée, Kristy se rendit compte que des images torrides dansaient dans son esprit, lui représentant l'étranger parfaitement nu, arc-bouté sur elle, lui imposant une danse d'amour frénétique et vertigineuse.

Et, soudain, ses yeux noirs parurent se changer en deux puissants faisceaux qui pénétraient en elle, allaient droit à son âme. Kristy, malgré elle, fut prise d'un brusque désir de lever la main et de lui toucher la joue, de la caresser tendrement pour effacer les marques qu'elle y avait faites. Elle ne se retint que de justesse, comprenant que cela ne ferait certainement qu'aggraver la situation.

La réalité, depuis qu'elle avait pénétré dans cet hôtel, semblait s'effilocher lentement et laisser place à un monde étrange, où ses propres réactions étaient devenues imprévisibles. Jamais de sa vie elle n'avait frappé un homme — encore moins un parfait inconnu !

Venait-elle, telle Alice, de passer de l'autre côté du miroir ?

Elle inspira profondément, tentant de reprendre ses esprits. Sans doute s'était-elle imaginé les émotions qui passaient entre son compagnon et elle. Les propos érotiques qu'il lui avait tenus l'avaient quelque peu bouleversée.

Pourtant, comme s'ils étaient vraiment unis par un lien empathique, elle le sentit se réfugier de nouveau en lui-même. Ses traits se durcirent, ses lèvres se figèrent en une ligne sévère, presque carnassière. Kristy songea un instant à s'excuser, puis comprit qu'il lui faudrait assumer les conséquences de son geste.

— Monsieur...

— Arrête de m'appeler comme ça!

— Ecoutez, il y a une explication à tout cela...

— Vraiment? Dans ce cas, je serais ravi de l'entendre.

— Eh bien, j'ai cette clé, commença-t-elle en lui désignant la source de tous ses problèmes. Le directeur me l'a donnée et...

Mais son compagnon ne la laissa pas terminer. Si vite qu'elle ne vit rien venir, il l'agrippa par les épaules et la secoua telle une poupée de chiffon.

— Tu te moques de moi? Tu es vraiment incroyable!

Kristy se laissa ballotter sans tenter de se défendre, de peur d'exciter davantage encore sa colère. Tout ce qu'elle disait paraissait la desservir et se retourner contre elle.

— Je vous en prie... Lâchez-moi...

Il partit d'un rire dédaigneux mais s'exécuta, puis recula d'un pas.

— Tu crois que je n'en suis pas capable? demanda-t-il froidement. Que je ne peux pas m'empêcher de te toucher? Eh bien, tu te trompes!

Il s'éloigna dans la pièce, à grands pas rageurs visiblement destinés à évacuer sa tension intérieure.

— Tu n'es rien! lança-t-il froidement. Rien du

tout. Un simple grain de poussière. Tu ne comptes pas !

Kristy tenta de conserver son calme malgré la violence de ses accusations, qui la touchaient tout particulièrement. Il était vrai qu'elle n'était qu'une jeune femme sans attaches, sans famille, sans passé.

— Vous avez raison, oui, murmura-t-elle.

Sa réponse dut surprendre l'inconnu, car il s'arrêta au beau milieu de ses déambulations et lui jeta un regard perplexe.

— J'ai raison ? répéta-t-il d'un ton incrédule. Encore heureux que tu t'en rendes compte !

Il se rapprocha d'elle à grandes enjambées, une expression de farouche détermination imprimée sur ses traits.

— Où étais-tu durant ces deux dernières années ? Qu'as-tu fait ? Pourquoi es-tu partie sans me prévenir ?

Kristy écarquilla les yeux, comprenant enfin la raison de cet imbroglio. L'homme, apparemment, la prenait pour une autre. Le personnel et le directeur de l'hôtel avaient certainement fait de même, ce qui expliquait leur étrange attitude.

Restait la question essentielle : avec qui la confondait-il ? Son sosie, apparemment, devait avoir laissé un souvenir pour le moins désagréable aux personnes qu'elle avait approchées !

— Réponds-moi, bon sang ! Où étais-tu ?

Il la dominait de toute sa taille, réclamant son attention sans partage. Avec un léger tressaillement, Kristy revint à la réalité et leva vers lui un regard effrayé. Il lui fallait éclaircir la situation, avant que son compagnon ne se décidât à lui faire payer un crime qu'elle n'avait pas commis.

— J'étais à San Francisco. Pour la simple et bonne raison que...

— Tu es donc partie avec l'Américain, coupa son vis-à-vis, la mâchoire crispée. Oui, je le lis sur ton visage, dans tes yeux... Tu n'es qu'une petite garce !

— Je ne suis pas une garce ! se récria instinctivement Kristy.

— Tu t'imagines que je vais te reprendre ? Après ce que tu m'as fait ?

Elle secoua la tête, abasourdie. Elle n'avait rien fait d'autre que d'utiliser une clé pour pénétrer dans sa chambre, mais comment le lui expliquer ?

Sans lui laisser le temps de réfléchir davantage, il lui prit le menton d'une main ferme, la força à redresser la tête et, fondant sur elle tel un oiseau de proie, il l'embrassa.

La stupeur la laissa momentanément paralysée, sans défense. La main libre de son compagnon glissa dans ses cheveux, s'enroula autour de sa nuque pour la tenir plus sûrement captive.

Lentement, l'esprit de Kristy se remit à fonctionner. Elle devait se débattre, le repousser, crier, appeler à l'aide.

Une explosion de sensations l'empêcha cependant de réagir comme elle l'aurait dû. Les lèvres de l'homme ravageaient les siennes, allumant en elle un brasier galopant qui se communiquait à tout son être. L'inconnu paraissait irradier une chaleur dévorante, qui la pénétrait lentement et lui donnait l'impression de se trouver dans un four. L'oxygène semblait s'être raréfié, et ce fut d'une inspiration sifflante qu'elle avala un peu d'air, entre deux baisers.

Au moment où elle s'y attendait le moins, il rompit leur étreinte avec autant de brutalité qu'il l'avait initiée. Totalement abasourdie, encore sillonnée de sensations délicieuses, Kristy ne put que le fixer, incapable de prononcer le moindre mot.

— Tu vois ? demanda-t-il, une lueur de triomphe dans le regard. Je ne ressens plus rien pour toi. Plus rien du tout.

Il mentait. A en juger par le courant violent qui était passé entre eux, il n'était pas resté insensible à ce baiser — ainsi que le confirmait la protubérance révélatrice de son pantalon. Jamais une telle passion n'aurait pu être feinte.

Mais elle, comment avait-elle pu se laisser emporter si loin des rivages de la morale, de la décence, de la pudeur ? Pourquoi ne s'était-elle pas débattue, ne lui avait-elle pas expliqué qu'il se trompait de cible ?

Il était plus que temps, à présent, de tirer les choses au clair. La situation avait déjà dangereusement dégénéré.

— Si vous ne ressentez rien, déclara-t-elle posément, c'est parce qu'il n'y a jamais rien eu.

L'autre lui darda un regard haineux qui la transperça de part en part, et la fit involontairement reculer d'un pas.

— Tu crois que je ne le sais pas ?

— Ecoutez-moi. Vous faites une erreur. Vous vous trompez de personne. Je ne suis pas celle que vous croyez.

— Arrête de prendre tes grands airs et de me vouvoyer, ça ne marche pas. Cette distance artificielle n'effacera jamais ce qu'il y a eu entre nous.

— Mais je ne suis pas la même femme !

— Non, bien sûr. Tout le monde change, en deux ans. Mais pour moi, tu es morte. Tu n'existes plus.

Kristy faillit taper du pied dans sa frustration de ne pas être entendue.

— Si vous me laissiez au moins une chance de...

— Non, coupa-t-il d'un ton venimeux. Tu ne mérites pas que l'on te donne la moindre chance.

Dialogue de sourds s'il en était... Tenter d'expliquer la vérité ne servait visiblement à rien. L'homme s'était mis une idée en tête et refusait d'en démordre. Et dans ce cas, mieux valait pour elle quitter cette suite au plus vite.

— Bien. Je vais donc regagner ma chambre.

— C'est ça, répondit son compagnon avec un geste méprisant.

— Et je vais fermer la porte à clé.

— Parfait.

— Je quitte Paris demain, ajouta-t-elle, pour lui donner un ultimatum au cas où il se déciderait à entendre sa version des faits.

— Excellent !

— Je ne reviendrai jamais, précisa Kristy, sans trop savoir pourquoi.

Il pouvait bien la considérer comme décédée, elle s'en moquait. Etouffant l'étrange douleur qui remonta du plus profond d'elle-même à cette pensée, Kristy se dirigea vers la porte d'un pas décidé.

— Que veux-tu de moi, exactement ? demanda l'étranger, dans son dos.

Elle pivota et lui darda un regard de noir défi.

— Rien ! Absolument rien !

Elle se prépara à franchir la porte, mais la voix de son compagnon claqua de nouveau derrière elle, aussi sèche et impérieuse qu'un coup de fouet.

— Attends !

Trop tard. Kristy en avait plus qu'assez. Elle avait tout tenté pour lui expliquer la vérité, mais il avait refusé de l'écouter. Sans même un regard en arrière, la tête haute et la nuque raide, elle franchit le seuil et claqua la porte derrière elle.

Puis elle mit fin à ce désagréable épisode d'un tour de clé ferme et définitif.

3.

Kristy faisait les cent pas dans le salon de sa suite, l'esprit en ébullition, incapable d'apprécier le luxe qui l'entourait. L'inconnu l'avait mise hors d'elle. De quel droit se permettait-il de bouleverser sa vie, à cause d'une simple confusion d'identité ? Ce n'était pas juste ! Rien de ce qui lui était arrivé depuis qu'elle avait pénétré dans cet hôtel, d'ailleurs, n'était juste.

Elle se sentait d'humeur à casser tout ce qui lui tombait sous la main. Mais les vases précieux qui l'entouraient devaient coûter chacun un mois de son salaire, et elle préféra réfréner sa colère.

Pourquoi diable la confondait-on avec quelqu'un d'autre ? Comment une telle méprise avait-elle pu arriver ?

D'un pas vif, elle se rendit dans la salle de bains et se planta devant son miroir, les poings sur les hanches et les sourcils légèrement froncés. Il était désagréable de songer que, quelque part dans le monde, quelqu'un lui ressemblait trait pour trait. Mais l'autre était-elle vraiment son sosie parfait ?

Une forte ressemblance suffisait à expliquer que le personnel de l'hôtel se fût mépris. Mais que l'amant de cette mystérieuse femme fût lui-même tombé dans le piège... Oui, les similitudes devaient être troublantes.

Kristy se pencha vers le miroir, agacée. « Qui es-tu, toi, de l'autre côté ? songea-t-elle. Pourquoi as-tu quitté cet homme sans le prévenir ? Moi, je n'aurais jamais fait une chose pareille. Nous sommes très différentes. »

Non, jamais elle n'aurait abandonné un homme qui l'aimait. Mais peut-être n'y avait-il jamais eu d'amour entre cet homme et cette femme. Peut-être avait-il tenu à elle par pur instinct de possession, et lui reprochait-il simplement l'accroc qu'elle avait fait à sa fierté en partant...

Presque machinalement, elle leva la main vers son visage, et en suivit doucement les contours. Son double et elle se ressemblaient-elles trait pour trait, sans la moindre différence ? Il lui était difficile d'imaginer une femme avec les mêmes yeux bleus, le même nez fin, la même chevelure d'un cuivre flamboyant. Pourtant, plusieurs personnes s'étaient déjà laissé prendre au piège...

Elle secoua la tête, totalement déroutée, et se détourna du miroir. Comme elle repassait dans le salon, ses yeux se posèrent sur son sac de voyage, posé au beau milieu de la pièce, à l'endroit où le directeur de l'hôtel l'avait laissé. La sagesse lui commandait de partir sur-le-champ, de se rendre à Genève sans plus tarder et de...

Elle se figea, tandis qu'une soudaine lumière éclatait dans son esprit. Elle avait entrepris ce voyage pour tenter de retrouver le nom de la famille qu'elle avait perdue quelque vingt-cinq ans auparavant. Et si elle n'avait pas été la seule survivante du tremblement de terre ? Si elle avait eu une sœur... une sœur *jumelle* ?

Dans ce cas, sa quête ne la mènerait plus vers un simple nom, mais vers un être de chair et de sang ! De la même chair et du même sang qu'elle !

Son cœur se mit à battre la chamade. Seul l'homme dans la suite voisine pouvait l'éclairer sur ce point. L'hypothèse de la sœur jumelle était la seule à expliquer la méprise générale sur son identité.

Un léger vertige la saisit, l'obligeant à s'asseoir quelques instants sur l'accoudoir d'un fauteuil. Une série de coïncidences troublantes l'avaient menée jusqu'ici. Puis elle avait croisé quelques minutes après son arrivée l'homme qui détenait peut-être les clés de son passé... Comme si John et Betty, de là-haut, la guidaient avec bienveillance vers sa famille biologique.

« Tu deviens folle, ma vieille », se morigéna-t-elle en massant ses tempes douloureuses. « Il n'y a peut-être rien d'autre derrière tout cela qu'une série de hasards, et une impasse. »

Il n'y avait qu'un moyen, cependant, de le savoir. Elle devait parler de nouveau à son voisin, qu'il le voulût ou non. Lui-même, de toute façon, tirerait profit d'un éclaircissement de la situation.

Trop agitée pour lui laisser le temps de se remettre de leur houleuse entrevue, Kristy se redressa et se dirigea une nouvelle fois vers la porte. Rien, cette fois, ne la détournerait de son but. Ni les insultes, ni les menaces, ni même la violence physique.

Après avoir frappé pour le prévenir, elle fit tourner la clé dans la serrure et ouvrit.

— Monsieur ?

Aucune réponse ne vint. Elle pénétra dans le salon et appela de nouveau, mais un silence épais régnait dans la suite. Elle attendit, crispée, songeant que son occupant était peut-être dans la salle de bains. Aucun bruit ne se fit entendre, cependant, et elle comprit avec dépit que l'inconnu était sorti.

Elle en resta quelques instants immobile, les bras ballants, déçue au point de ne plus savoir que faire. Elle ne connaissait pas le nom de son interlocuteur, et il était peu probable que le réceptionniste accepterait de le lui communiquer.

La solution la plus raisonnable consistait donc à patienter durant quelques heures. S'il occupait cette suite, l'inconnu reviendrait certainement se changer pour le dîner. A moins que, son affaire avec elle réglée, il ne fût parti avec cette charmante brunette...

L'idée était étonnamment déprimante, et Kristy retourna d'un pas morne dans sa suite, méditant sur l'effet étonnant que leur baiser avait produit sur elle. Il semblait y avoir entre eux une étrange alchimie, cette même alchimie sans doute qu'il avait partagée avec sa jumelle.

Elle se rappela aussitôt qu'elle n'avait aucune preuve de ce qu'elle avançait. Il se pouvait fort bien que l'autre femme ne fût qu'un sosie. Elle devait se calmer, prendre un peu de temps pour réfléchir.

Le fait de déballer ses affaires lui procura un léger répit, mais les questions revinrent l'assaillir sitôt qu'elle se trouva désœuvrée. Piochant une grappe de raisins dans la corbeille de fruits, elle passa sur la terrasse et observa la ronde des voitures sur la place de la Concorde, espérant que la beauté de la vue la distrairait un peu.

Sans appétit — il lui semblait avoir un sac de nœuds à la place de l'estomac —, elle se força à avaler quelques grains de raisins. Lorsqu'il ne lui resta plus qu'une grappe vide dans la main, elle se rendit compte qu'elle n'avait même pas senti le goût de ce qu'elle avait avalé.

Elle retourna donc dans la chambre et prit une pêche dans laquelle elle s'apprêta à croquer. Elle fut interrompue par quelques coups frappés à la porte, qui la firent frémir des pieds à la tête. Etait-ce *lui*? Non, raisonna-t-elle aussitôt. Il aurait sans doute emprunté la porte de communication entre les deux suites s'il avait voulu la voir.

Elle alla donc ouvrir, et découvrit un garçon d'étage accompagné de deux femmes de chambre. Ces dernières portaient des sacs et divers paquets, le garçon un plateau d'argent sur lequel se trouvait une enveloppe.

— Un message pour vous, madame, annonça-t-il en l'étudiant avec une curiosité non dissimulée.

Les deux femmes de chambre la dévisageaient elles aussi avec intérêt. Tout le personnel de l'hôtel, à ce qu'il semblait, était au fait de sa présence, et victime de la même méprise...

— Merci, dit-elle entre ses dents.

Elle prit l'enveloppe, consciente que le fait de la refuser ne ferait qu'exciter les spéculations qui, à n'en pas douter, couraient sur son compte. Elle était de plus curieuse de connaître le contenu du message. Emanait-il de l'inconnu, ou du directeur de l'hôtel?

Une idée la frappa brusquement, et elle demanda au garçon d'étage:

— Connaissez-vous mon nom?

— Oui, madame.

— Quel est-il?

L'autre lui retourna un regard dubitatif, puis suspicieux.

— Eh bien... Tout le monde sait que vous êtes madame... Holloway? acheva-t-il sur une note interrogatrice.

Se rappelant le credo proféré par le directeur de l'établissement — tact et discrétion —, Kristy comprit qu'elle ne tirerait rien de plus de son jeune informateur. Ravalant sa frustration, elle glissa un doigt sous le rabat de l'enveloppe et l'ouvrit. Ce geste, elle le savait, la plongeait davantage encore dans les eaux troubles où elle avait involontairement pénétré, mais elle n'avait plus le choix.

Son regard, instinctivement, se porta vers l'élégante signature qui concluait la lettre.

Armand.

Jamais le directeur de l'hôtel n'aurait pris la liberté de signer de son prénom. Il ne pouvait s'agir que de *lui*. Ainsi, il s'appelait Armand. Mais Armand quoi? Armand qui? Peut-être le message allait-il l'éclairer...

« Nous avons des affaires à régler », disait la première ligne.

Elle sentit son cœur bondir de joie. Cela signifiait sûrement qu'ils auraient une nouvelle occasion de se voir, ce que confirmèrent les lignes suivantes.

« Afin de donner à notre rencontre un caractère civilisé et impersonnel, je suggère que nous nous retrouvions au restaurant Les Etoiles, ce soir à 20 heures. »

Ce soir. En terrain neutre. A cette idée, Kristy ne put retenir un immense soupir de soulagement. Il n'oserait certainement pas la traiter comme il l'avait fait en public.

« Si tu ne te montres pas, sache que je te traquerai où que tu ailles jusqu'à ce que nos affaires soient réglées. »

41

Kristy sourit. Sa menace ne la dérangeait pas le moins du monde puisqu'elle aussi était prête à *le* traquer s'il se défilait ou lui refusait une entrevue. Cet ordre, cependant, trahissait une volonté farouche qui la mit vaguement mal à l'aise. Son sosie ou sa jumelle avait dû le faire souffrir terriblement.

Baissant les yeux vers la lettre, elle lut le post-scriptum qui la concluait.

« J'ai pris la liberté de te fournir quelques vêtements appropriés. N'essaie surtout pas de m'humilier de nouveau en public, car je n'hésiterai pas à te le faire payer au centuple. »

Des vêtements... Voilà donc ce que contenaient les boîtes... Et elle n'aurait d'autre choix que de les porter si elle ne voulait pas braquer son compagnon.

— Connaissez-vous un restaurant qui s'appelle Les Etoiles ? demanda Kristy au garçon d'étage.

— Bien sûr, madame. C'est le restaurant de cet hôtel.

— Bien sûr, répéta-t-elle avec un rire entendu, dans l'espoir de faire passer son ignorance pour de la distraction.

Le garçon d'étage et les deux femmes de chambre la regardèrent comme si elle était devenue folle, ce qui, songea-t-elle, était peut-être bien le cas. Mais elle ne pouvait plus, désormais, enterrer les espoirs que la conduite du prénommé Armand avait fait naître en elle. Il était trop tard pour reculer, et il lui fallait continuer de jouer double jeu pour obtenir les réponses aux questions qui la taraudaient.

D'un geste, elle fit signe aux deux femmes d'entrer. Ces dernières s'exécutèrent et déposèrent leurs paquets dans le salon, avant de s'éclipser avec une esquisse de révérence assez cocasse. Ignorant leurs regards curieux, Kristy referma la porte derrière elles.

La visite qu'elle venait de recevoir jetait un éclairage nouveau sur la personnalité d'Armand. Il devait certainement s'agir d'un client important de l'hôtel si les employés manifestaient un tel zèle à le servir. Peut-être même était-il une célébrité en vue...

Elle ne pouvait, en l'état actuel des choses, que spéculer dans le vide. Elle décida donc de se concentrer sur la réalité et tourna son attention vers les paquets. Pour la première fois, elle remarqua qu'ils portaient le nom de Christian Dior.

En sus d'être redoutablement séduisant, Armand était donc riche et influent... Il était peu probable, en effet, que le commun des mortels pût se faire livrer par une maison aussi prestigieuse en si peu de temps.

En acceptant un tel présent, elle flirtait avec le danger. Car qu'avait-elle à opposer à la toute-puissance de son compagnon ? « La vérité », lui souffla aussitôt son cœur. Mais cela suffisait-il ?

Le contenu des paquets la laissa sans voix. Il y avait là une robe de soirée de crêpe noir, au décolleté plongeant et aux épaules brodées de perles. Un sac à main assorti et des chaussures noires à hauts talons complétaient l'ensemble. La dernière boîte contenait des sous-vêtements de dentelle noire si sexy qu'elle en rougit.

Le tout avait dû coûter une véritable fortune. Pourtant, Kristy soupçonnait que l'argent ne comptait pas pour un homme tel qu'Armand. A présent qu'elle y pensait, la brune qu'elle avait vue en sa compagnie était très élégamment vêtue. Nul doute qu'il comblait ses maîtresses de cadeaux princiers.

Elle se fit couler un bain très chaud dans lequel elle

se glissa avec un soupir d'aise, et qui l'aida à chasser un peu de la tension qui la tenaillait. Puis elle entreprit de s'habiller, quelque peu troublée par la beauté et la sensualité des vêtements que son mystérieux voisin lui avait fait envoyer. Quelle avait été la nature exacte de sa relation avec sa jumelle ? Sexuelle, c'était certain. Et passionnée. Kristy se rappela fugitivement le baiser qu'ils avaient échangé, puis le regretta aussitôt en constatant que ses mains s'étaient mises à trembler.

Qu'était devenue la brune en compagnie de laquelle elle avait vu Armand ? se demanda-t-elle tout en se maquillant. Etaient-ils amoureux ? La chose était peu probable. Armand n'aurait pas été affecté par le supposé retour de son double s'il avait été amoureux d'une autre.

Lorsqu'elle se posta devant son miroir pour s'assurer que sa tenue était en ordre, un détail auquel elle n'avait jusqu'alors prêté aucune attention la frappa de plein fouet. Les vêtements lui allaient à merveille, comme s'ils avaient été taillés sur mesure. Même les chaussures, constata-t-elle avec une bouffée de panique, étaient à son pied. Ce qui signifiait que sa jumelle lui était exactement semblable.

Bien que ravie à l'idée de se découvrir une sœur, le fait de se trouver ainsi dépouillée de sa propre individualité lui serra l'estomac. Il lui semblait soudain injuste de n'être qu'une copie de quelqu'un d'autre.

L'intensité de la ressemblance entre son double et elle, de plus, éveillait de nouvelles interrogations. Et si Armand refusait de croire qu'elle était Kristy Holloway ? Son passeport constituerait-il une preuve suffisante ? Il pourrait le croire faux, mais elle aurait toujours la ressource de faire confirmer son identité par l'Ambassade, s'il lui fallait en arriver à ces extrémités.

Elle fixa son reflet, l'esprit bouillonnant de mille spéculations. Il lui semblait avoir traversé le miroir pour de bon, tant la femme qu'elle contemplait lui paraissait proche et lointaine à la fois.

« Quel genre de vie menais-tu pour t'habiller ainsi ? » demanda-t-elle en silence à son double. « Et que s'est-il passé pour que tu l'aies quitté si brusquement ? Où es-tu, désormais ? Que t'est-il arrivé ? »

Kristy se rembrunit. Sa jumelle était-elle aussi perverse qu'Armand l'avait laissé entendre ? Et si c'était le cas, avait-elle vraiment envie de la connaître ?

Un frisson étrange courut le long de sa colonne vertébrale, et vint mourir sur sa nuque. Accepter ce dîner, accepter de porter ces vêtements était peut-être une folie supplémentaire. Et si elle ne tirait pas de l'entrevue les renseignements escomptés ?

Avalant une grande goulée d'air, elle se détourna du miroir. Il était de toute façon trop tard pour reculer.

Un bref coup d'œil à sa montre la conforta dans sa détermination. Les fines aiguilles indiquaient 8 heures moins 5. Il était temps d'y aller.

Et de traverser le miroir pour voir ce qui se trouvait de l'autre côté.

4.

Kristy se présenta à l'entrée du restaurant Les Etoiles à 8 heures précises, mais Armand n'était pas encore là. Un regain de colère la submergea. Elle s'était pliée à ses instructions; elle était descendue à l'heure qu'*il* avait spécifiée. N'était-elle pas en droit d'attendre, en retour, un minimum de ponctualité?

Pour calmer son impatience, Kristy balaya la salle du regard. Le cadre était un superbe hommage au XVIIIe siècle avec ses hautes fenêtres, ses murs incrustés de marbre, ses lourdes tentures et son plafond peint, sur le bleu duquel s'ébattaient des chérubins dodus. L'endroit était magnifique, et elle comprenait à présent pourquoi son compagnon avait exigé qu'elle s'habillât pour le dîner.

— Navré d'être en retard.

Kristy tressaillit et pivota pour faire face à Armand, dont elle avait reconnu la voix grave et sensuelle. Il portait un smoking qui accentuait encore, si c'était possible, son charme et sa séduction. De fait, plusieurs femmes attablées dans le restaurant avaient tourné la tête dans sa direction.

— Je me suis arrêté à la réception pour vous regarder arriver, reprit Armand. J'ai rarement vu une femme aussi belle.

Kristy s'empourpra sous le compliment, ne songeant même pas à s'étonner du fait qu'il ne la tutoyait plus. Avec grâce, son compagnon lui prit la main et la porta à ses lèvres, éveillant sous sa peau de délicieux frissons. Il y avait dans ses manières autre chose qu'une simple politesse ; cependant, elle n'était pas dupe du sourire affable avec lequel il la dévisageait.

Il lui offrit son bras, toujours avec le même air cordial, mais elle hésita un instant avant de le prendre. Puis, redressant fièrement la tête, elle se laissa conduire jusqu'à leur table, sous la direction diligente du maître d'hôtel.

Tandis qu'elle progressait, elle se rendit compte que tous les regards étaient braqués sur eux — avec la discrétion que commandait un tel endroit, bien sûr. Manifestement, Armand attirait l'attention des autres clients, songea-t-elle. Et le fait qu'elle fût avec lui ne faisait qu'accroître leur curiosité.

Qu'avait donc fait sa mystérieuse jumelle pour éveiller un tel intérêt ? Quelle sombre notoriété s'était-elle acquise ? S'était-elle rendue coupable d'un autre forfait que celui d'avoir abandonné Armand sans prévenir ?

Sitôt qu'ils furent assis, un serveur se matérialisa près d'eux pour leur servir une coupe de champagne.

— A une meilleure compréhension mutuelle, murmura Armand, levant la sienne en un toast vaguement moqueur.

— Excellente idée, répondit-elle du même ton.

Il lui fallait boire quelque chose, n'importe quoi, pour irriguer sa gorge desséchée. Ce ne fut que lorsqu'elle reposa sa coupe qu'elle avisa la lueur triomphale qui brillait dans le regard de son compagnon. Elle comprit que ce toast, en apparence amical, avait été porté à la fierté d'Armand, et non à une quelconque compréhension. Il avait fait exprès d'arriver en retard afin de ne pas être vu attendant seul au cas où elle aurait décidé de ne pas se montrer. De même, il était probable qu'il ne l'aurait même pas rejointe si elle n'avait pas porté les vêtements qu'il lui avait envoyés.

En cet instant, il avait atteint son but. L'assistance l'avait vu en compagnie d'une femme soumise, docile, qu'il s'était payé le luxe de faire attendre à l'entrée du restaurant. La galanterie qu'il avait manifestée en lui baisant la main et en lui prenant le bras faisait certainement partie du spectacle. Elle n'était, au fond, qu'une proclamation silencieuse de sa noblesse d'âme, qui lui permettait de pardonner à celle qui l'avait trahie.

— En avons-nous fini avec cette comédie ? demanda-t-elle avec irritation.

— Allons, ne faites pas comme si cela vous dérangeait. Si vous êtes là ce soir, c'est dans un but bien précis.

— Vraiment ? riposta-t-elle d'un ton de défi. Qu'est-ce qui vous fait croire ça ?

Il mit quelques secondes avant de répondre, et se frotta le menton d'un air pensif.

— Le fait que je vous aie confondue avec Colette, déclara-t-il finalement. Je pense que c'était d'ailleurs votre intention initiale, dans le but de profiter de l'effet de choc.

Colette. Enfin, son double avait un nom ! Et Armand avait conscience de s'être mépris !

Un immense soulagement s'empara de Kristy. Au

moins n'aurait-elle pas à prouver son identité. Restait à en apprendre le maximum sur la dénommée Colette, et la possibilité que toutes deux fussent sœurs.

L'entreprise ne s'annonçait pas facile. Armand pouvait en effet se retrancher derrière un mur de silence s'il découvrait qu'elle ignorait tout de la situation. Pourquoi aiderait-il quelqu'un qui ne signifiait rien pour lui, et qui ne pouvait lui donner aucune nouvelle de son amante disparue ?

— Vous savez donc que je suis Kristy Holloway et non Colette, avança-t-elle prudemment.

— La ressemblance est parfaite, répondit son vis-à-vis, une lueur de ressentiment dans le regard. Je suis sûr que vous en avez conscience, et que vous en avez usé délibérément. Je ne m'excuserai donc pas pour mon comportement, que vous avez provoqué.

Kristy se mordit la lèvre pour retenir un déni farouche et instinctif. Il serait stupide de laisser son impulsivité gâcher ses quelques chances d'en savoir plus sur sa famille.

— Je reconnais cependant que vous avez essayé, au final, de me révéler votre vraie identité, reprit son compagnon après avoir bu une gorgée de champagne.

— Puis-je vous demander ce qui vous a fait comprendre que je n'étais pas Colette ?

Il fit la grimace, apparemment gêné par l'erreur qu'il avait commise.

— Vous m'avez giflé de la main gauche. Sur l'instant, ça ne m'a pas frappé, si vous me permettez ce jeu de mot. Et lorsque je vous ai embrassée, ajouta-t-il d'une voix rauque, vous n'avez pas réagi exactement de la même manière que Colette.

Rouge de confusion, Kristy baissa les yeux. Puis elle

se morigéna aussitôt de sa faiblesse et du trouble qui l'avait envahie au souvenir de ce baiser. Il lui fallait garder l'esprit clair si elle voulait mener cette enquête à bien.

— Vous êtes donc, sur cette seule base, prêt à accepter le fait que je ne suis pas Colette ?

Son compagnon partit d'un rire bref et s'adossa confortablement à sa chaise, sans cependant la quitter des yeux.

— Pas sur cette seule base, non. J'ai demandé à la réception de vérifier votre numéro de passeport auprès de l'Ambassade américaine.

Ainsi donc, il était aussi influent qu'elle l'avait supposé. Quelque peu déstabilisée, Kristy songea qu'il lui faudrait être prudente : avoir un tel homme pour ennemi pourrait se révéler dangereux...

— J'en déduis que le personnel de l'hôtel est lui aussi averti de cette méprise ? observa-t-elle.

— En effet. Mais les dispositions qui ont été prises demeurent inchangées. Vous ne payerez rien durant votre séjour ici.

— Je suis tout à fait prête à payer pour la chambre la moins chère, repartit-elle, redressant fièrement le menton. C'est ce que j'ai demandé à mon arrivée.

— Mais vous avez accepté la suite..., fit valoir Armand avec ironie.

— On ne m'a pas laissé le choix !

— ... et les vêtements.

— Parce que vous m'avez très clairement fait comprendre que cette soirée en dépendait.

— Bien sûr. Et c'est précisément pour cela que vous êtes venue, n'est-ce pas ? Pour défendre les intérêts de Colette ?

Une nouvelle fois, Kristy se retint de justesse de lui avouer toute la vérité. Elle se ressaisit pourtant, se répétant qu'elle ne devait pas se laisser démonter par les piques que son mystérieux interlocuteur lui lançait.

— Pour reprendre vos propres mots, rectifia-t-elle froidement, nous avons des affaires à régler.

— En effet. Et définitivement. Ne vous méprenez pas sur ce point, mademoiselle Holloway, déclara Armand avec un regard brillant d'une intense résolution.

Kristy croisa nerveusement les jambes. Par quel angle devait-elle aborder le problème, sans pour autant révéler qu'elle ignorait tout de sa jumelle ?

— Pourquoi croyez-vous que je suis venue défendre les intérêts de Colette ?

— Parce qu'elle s'est sans doute dit que je ne pourrais rien vous refuser.

Un sourire dédaigneux étira ses lèvres pleines comme il ajoutait :

— Elle est bien trop lâche pour m'affronter elle-même.

— Il est vrai que vous êtes intimidant, reconnut Kristy.

— Je sais que vous ne vous laissez pas aisément intimider. Vous êtes une battante, une guerrière. Encore une différence entre vous, d'ailleurs. Mais d'après ce que j'ai cru comprendre, c'est le propre des jumelles. Il y en a toujours une qui est plus positive, plus forte que l'autre.

Des jumelles... Ainsi, il n'y avait aucun doute dans l'esprit d'Armand quant au fait qu'elles fussent sœurs. Mais ses présomptions ne suffisaient pas à Kristy. Elle avait besoin de preuves concrètes.

Le serveur arriva à cet instant avec les menus et demeura près de la table pour les aider à faire leur choix. Kristy parcourut distraitement la liste, sans appétit, presque dégoûtée par l'idée de manger tant son estomac était noué. Elle choisit une assiette de saumon fumé en entrée et une viande grillée en plat principal. Armand passa commande aussi rapidement qu'elle, comme s'il était pressé d'en finir avec cette désagréable obligation. Enfin, le serveur repartit avec les cartes, et ils se retrouvèrent seuls.

De longues secondes s'écoulèrent, durant lesquelles son compagnon fit tourner le pied de son verre entre ses doigts.

— Je n'ai pas voulu croire à votre existence jusqu'à aujourd'hui, déclara-t-il enfin, levant vers elle un regard empreint d'une certaine lassitude. J'ai d'abord pensé que vous n'étiez qu'un produit de l'imagination de Colette. L'expression d'un désir, d'un besoin.

Kristy écarquilla les yeux. Colette la connaissait ? Cette révélation était si stupéfiante qu'elle faillit poser la question à voix haute, dans son avidité d'en savoir davantage. Les mains crispées sur les accoudoirs du fauteuil, elle se pencha vers son compagnon, un flot brûlant de questions aux lèvres. Mais il reprit avant qu'elle eût le temps de parler :

— C'est assez étrange, de voir s'incarner ce que l'on a toujours considéré comme un fantasme.

— Que... Que savez-vous de moi ? interrogea-t-elle, le cœur battant et la voix pâteuse.

— Vous vous appelez Christine. Colette, elle, vous appelait Chrissie. Comment en êtes-vous arrivée à Kristy ?

Sentant la tête lui tourner, elle inspira profondément

et se radossa à sa chaise. Armand ne pouvait pas avoir inventé ces détails. Ou alors, il était particulièrement machiavélique.

— Un couple d'Américains m'a adoptée, répondit-elle. Je... je suppose que c'est leur choix.

— Vous ne vous rappeliez pas votre nom ?

— Non. J'étais très jeune.

— Quatre ans, observa-t-il en hochant la tête.

Quatre ans ? John et Betty lui avaient toujours affirmé qu'ils l'avaient adoptée à trois ans. De deux choses l'une : soit ils avaient mal évalué son âge, soit elle n'était pas la Chrissie dont parlait Colette. Mais cette dernière hypothèse était mise à mal par leur extraordinaire ressemblance physique.

— J'ai été dans le coma, expliqua-t-elle lentement. Lorsque je me suis réveillée, je n'avais aucun souvenir.

— Je sais. Vous avez été portée disparue lors du tremblement de terre.

Seigneur ! Il ne pouvait avoir inventé ce détail. Et c'était pousser la coïncidence trop loin. Elle avait donc vraiment une sœur jumelle qui se rappelait d'elle !

Une vague nausée l'envahit à l'idée de toutes les années qu'elles avaient passées loin de l'autre, alors qu'elles auraient pu être ensemble...

— Je suis restée ensevelie cinq jours, murmura-t-elle, tentant de sonder mentalement les ténèbres du passé, et se heurtant une fois de plus au mur infranchissable de sa mémoire.

— Cinq jours ? répéta Armand, avec une incrédulité visible. Comment avez-vous pu survivre ?

— Je ne sais pas. John pense que c'est un miracle.

— John ?

— Holloway. Sa femme Betty et lui m'ont adoptée. Ils sont morts tous les deux.

Une bouffée d'émotion l'envahit, formant une boule énorme dans sa gorge. Luttant contre les larmes, elle prit sa coupe et la termina d'un trait. Comme Armand restait silencieux, à l'observer de dessous ses paupières mi-closes, elle se crut obligée de poursuivre ses explications :

— John était dans l'armée, reprit-elle d'une voix rauque. A cette époque, il dirigeait une équipe d'intervention spécialisée dans les catastrophes naturelles. Lorsqu'ils m'ont retrouvée, les recherches étaient déjà interrompues. Les bulldozers avaient même commencé de raser les structures les plus fragiles.

L'horreur de cet épisode l'envahit de nouveau, et elle se remémora les rêves qui avaient longtemps hanté son enfance. Secouant la tête pour s'éclaircir l'esprit, elle poursuivit d'une voix blanche :

— John m'a expliqué que j'étais restée dans une poche protégée. L'eau d'une conduite arrivait à proximité de ma bouche. J'ai dû être consciente à plusieurs reprises, et en profiter pour boire. Lorsque j'ai été tirée de... ce trou, j'ai été transportée par avion à Tel Aviv.

— A Tel Aviv ? Mais le tremblement de terre avait eu lieu à Ankara...

Ce détail acheva de dissiper les derniers doutes de Kristy. La gorge nouée, autant par l'émotion du récit que par l'idée d'avoir une sœur, elle reprit :

— Les hôpitaux turcs étaient surpeuplés du fait de la catastrophe. Et j'avais besoin de soins particuliers et très poussés. John s'est chargé de me faire transférer en Israël. Il m'a sauvé la vie, puis adoptée.

— C'est donc pour cela que vous avez disparu... Colette n'a jamais voulu accepter votre mort. Elle disait qu'elle vous savait vivante, quelque part, qu'elle le sentait. Je l'ai attribué au fait qu'elle avait besoin de s'inventer quelqu'un, puisque toute sa famille était morte.

Toute sa famille était morte ? Colette et elle étaient donc les seules survivantes de la catastrophe ? Kristy en éprouva un bref et écrasant sentiment de solitude, puis se rassura en songeant qu'elle n'aurait jamais pu trouver mieux qu'une sœur, jumelle qui plus était !

— Colette avait donc raison, reprit Armand en lui décochant un regard sombre. Ressentiez-vous la même chose ?

Elle hésita, fouilla dans sa mémoire, puis secoua la tête.

— Non. Je n'avais aucun souvenir d'elle. Je ne me souviens de rien avant l'accident. Je me suis réveillée à l'hôpital, et c'est là que commence ma vie consciente. Mais j'ai toujours éprouvé une terrible sensation de manque.

Sensation qui l'avait poussée à entreprendre ce voyage pour Genève. Mais elle n'avait plus de raisons d'y aller, à présent. Armand détenait des informations de première main, plus précises que toutes les archives de la Croix-Rouge.

— J'imagine que Colette doit être heureuse, à présent qu'elle vous a retrouvée, observa-t-il d'un ton acerbe.

Kristy lui jeta un regard furtif et coupable. Devait-elle lui confesser la vérité ? Lui avouer qu'elle avait ignoré l'existence de sa sœur jusqu'à cet après-midi ?

L'expression glaciale de son vis-à-vis, cependant, ne l'incitait guère à la confidence. Et il était probable qu'il lui révélerait moins de choses si elle le questionnait directement.

— Et si elle n'est pas heureuse, ajouta Armand d'une voix de basse, avec un sourire sinistre, elle ne peut s'en prendre qu'à elle-même. C'est elle qui est partie, pas moi !

— Vraiment ?

Malgré elle, Kristy sentait ses sympathies se porter vers sa sœur inconnue.

— J'ai remarqué que vous vous étiez vite consolé dans les bras d'une autre femme, remarqua-t-elle froidement.

— La jalousie de Colette à l'égard de Julie était totalement injustifiée, à l'époque, repartit Armand d'un ton furieux. Totalement !

— J'ai pourtant cru noter une certaine intimité entre vous, tout à l'heure.

— Colette m'a quitté il y a deux ans. Que devais-je faire ? Devenir moine ?

La stupide jalousie que Kristy éprouvait à l'égard de l'amie d'Armand la poussa à défendre sa sœur. Il y avait bien une raison au départ de Colette. Et cette raison s'appelait probablement Julie.

— Il n'y a pas de fumée sans feu, argua-t-elle. Après vous avoir vus tous les deux ensemble, j'imagine que Colette a dû sentir très fort cette fumée.

— Si c'est ce qu'elle vous a dit, répliqua Armand en s'assombrissant sous le coup de la colère, c'est qu'elle vous a menti. Ce qui ne m'étonne guère de sa part. Colette est une névrosée.

Kristy se raidit sous l'affront qui, lui semblait-il, la visait également. Le fait de s'être trouvé une sœur, songea-t-elle presque aussitôt, la poussait peut-être vers une identification trop grande. Après tout, que savait-elle des véritables motivations de sa jumelle ? Comment démêler le vrai du faux ?

Un fait demeurait : Armand était trop arrogant à son goût, trop sûr de lui avec les femmes. En témoignait cette façon cavalière dont il l'avait embrassée, sans même s'en excuser par la suite.

Le souvenir lui fit monter le rouge aux joues, ce qui accrut encore sa colère. Elle s'en voulait d'avoir éprouvé un tel plaisir entre les bras d'un parfait inconnu, engagé de plus auprès d'une autre. La fidélité, visiblement, n'était pas la priorité de ce don Juan...

— Pour quelle raison vous aurait-elle quitté, dans ce cas ? demanda-t-elle avec agressivité.

— L'Américain ! riposta-t-il avec tout autant de virulence.

— Quel Américain ?

Il hésita, apparemment mal à l'aise, avant d'expliquer :

— Ils sont partis le même jour.

— C'est le seul lien que vous avez trouvé entre eux ?

— Non. Il y avait d'autres indices !

— Les avez-vous vus partir ensemble ?

— Je n'ai pas eu besoin de ça pour comprendre. Ils sont partis le même jour. Et Colette n'a même pas daigné me laisser un mot. Expliquez-moi cela, vous qui êtes si forte.

— Je n'ai rien à vous expliquer. Je ne connais même pas cet Américain dont vous parlez !

Peut-être avait-elle tort de prendre la défense de sa sœur, mais cet homme avait le don de l'irriter, d'éveiller ses instincts les plus primitifs. En s'attaquant à sa jumelle, il s'attaquait à elle. De plus, quand bien même Colette avait une part de culpabilité dans cette affaire, il était peu probable qu'Armand fût aussi innocent qu'il le prétendait.

— Si vous êtes venue dans l'espoir de me faire accepter une réconciliation, déclara-t-il froidement, sachez que vous perdez votre temps.

Son compagnon paraissait s'être ressaisi, et retranché derrière un mur glacial. Le feu de sa récente fureur n'était plus visible que dans l'éclat brûlant de ses yeux.

Refusant de se laisser démonter, Kristy affronta son regard sans ciller.

— Je m'en étais aperçue par moi-même, monsieur.

D'un geste vif, Armand trancha dans l'air, comme pour signifier que ce détail était réglé.

— Je suis en revanche tout prêt à discuter des détails juridiques du divorce.

Un divorce ? Colette était... sa *femme* ?

La stupéfaction priva momentanément Kristy de ses moyens. Son esprit, à contrecœur, s'efforçait d'enregistrer ce fait. L'homme qui lui faisait face n'était pas un simple amant de sa sœur mais... son mari !

Il se pencha vers elle, et elle sentit la fureur qui faisait rage derrière son expression impassible.

— Et sachez que je ne lui laisserai jamais, j'ai bien dit *jamais*, la garde des enfants. Elle a abandonné Pierre et Eloïse, et ils resteront auprès de moi !

5.

Ainsi donc, sa sœur n'était pas seulement l'épouse d'Armand, mais également la mère de ses deux enfants !

Et elle les avait abandonnés ! Sans un mot d'avertissement, et sans donner de nouvelles depuis ce jour !

Kristy comprenait mieux, à présent, le choc et le scandale qu'avait causés son apparition. « La délicate situation » à laquelle avait fait allusion le directeur de l'hôtel, c'était donc cela !

Sa stupeur était telle, après la révélation que venait de lui asséner Armand, qu'elle peinait à trouver ses mots. Comment défendre une mère qui abandonnait ses enfants ? Des enfants en bas âge, qui plus était ? Car Colette avait vingt-huit ans, tout comme elle, ce qui laissait supposer que son fils et sa fille ne devaient pas avoir plus de dix ans.

Quelle mère pouvait agir ainsi ? Perdre la tête au point de ne plus se soucier de la chair de sa chair ? Kristy, pour sa part, savait qu'elle aurait été incapable d'un tel acte. Un acte d'autant plus incompréhensible de la part d'une femme qui avait elle-même été privée de famille.

Elle tentait encore de percer ce mystère lorsque le serveur leur présenta les entrées. L'idée de manger lui répugnait plus encore que précédemment mais, peu désireuse d'attirer l'attention, elle prit sa fourchette et mangea du bout des dents, coupant de petits morceaux de saumon qu'elle avalait sans même les mâcher.

Sans relâche, son esprit tentait pendant ce temps-là de trouver des excuses au geste de Colette. Avait-elle pu, suite à une dépression nerveuse, perdre la raison ou la mémoire ? Car d'après ce qu'avait dit Armand, sa jumelle avait toujours été fragile mentalement. Les pressions de la vie quotidienne avaient sans doute fini par avoir raison d'elle, d'autant plus qu'elle n'avait eu aucune famille vers laquelle se tourner.

Etait-il trop tard pour l'aider ?

Peut-être pas, non. Elle devait trouver Colette. Quelque part, sa sœur attendait son aide. Armand ne pourrait comprendre une chose pareille, mais Kristy en était intimement persuadée.

— Vous avez perdu l'appétit ?

Elle leva les yeux vers son compagnon, consciente du sarcasme qui perçait dans sa voix. Un éclat féroce et moqueur brillait dans son regard. Il s'imaginait sans doute l'avoir acculée dans cette supposée négociation des conditions d'un divorce.

Il se trompait du tout au tout. Mais comment le lui dire ? Par où commencer ? Il avait espéré d'elle des réponses sur le devenir de Colette, et elle n'en avait aucune à lui fournir. Le mieux était donc de ne pas prolonger plus longtemps cette comédie, dont les enjeux étaient bien plus importants qu'elle ne se les était initialement imaginés.

Elle reposa son couteau et sa fourchette, se sentant plus sûre d'elle à présent qu'elle avait pris sa décision.

— Vous avez raison. Je n'ai pas faim. Vous, en revanche, vous avez fait justice à votre entrée...

Armand baissa fugitivement les yeux vers son assiette vide, puis sourit.

— Peut-être parce que j'ai la justice de mon côté.

Kristy décida de ne pas contester ce point, bien que tout son être le rejetât farouchement. Affrontant son regard, elle demanda :

— Doutez-vous que je sois la sœur jumelle de Colette ? Je veux dire, je pourrais être un simple sosie...

— Absolument pas. La ressemblance est parfaite. Et puis, il y a ces détails que vous m'avez fournis sur votre passé. Pourquoi cette question ? Vous pensiez peut-être que vous auriez besoin de papiers pour me prouver votre identité ? Ne vous inquiétez pas, je vous accorde le droit de parler au nom de Colette.

Kristy prit une grande inspiration, avant de préciser :

— Je ne peux pas parler au nom de Colette, pour la simple et bonne raison que je ne l'ai jamais rencontrée. Je n'avais aucune idée de son existence jusqu'au moment où vous me l'avez révélée.

Armand eut un brusque mouvement de recul, comme si elle venait de le frapper en plein visage. Puis il se crispa visiblement et se pencha vers elle, tel un fauve prêt à bondir.

— Qu'espérez-vous gagner par un mensonge aussi grossier ?

Son expression était telle que Kristy dut faire appel à toute sa volonté pour ne pas s'enfuir en courant. Mais il était trop tard, à présent qu'elle avait choisi sa ligne de conduite, pour se dédire.

— Juste la vérité, répondit-elle.

Son compagnon eut un ricanement moqueur et se radossa à sa chaise, le regard glacial.

— Vous perdez du temps en essayant d'en gagner, lâcha-t-il, méprisant. Je vous ai dit quelles étaient mes conditions, et je ne reviendrai pas dessus.

La colère qui paraissait irradier de tout son être la fit frissonner des pieds à la tête.

— Je suis désolée de vous avoir menti par omission, reprit-elle d'un ton calme et compatissant. Mais je ne savais pas de quoi il retournait. J'avais juste compris, d'après le comportement des employés depuis mon arrivée en ces lieux, que j'avais un sosie parfait. Si j'ai accepté de dîner avec vous, c'était pour résoudre ce mystère.

Armand plissa les yeux et la dévisagea pensivement, sans pour autant se départir de son expression furieuse. Elle soutint son examen, s'efforçant de lui transmettre par la seule force de son regard toute l'étendue de sa sincérité.

— Vous devez comprendre, insista-t-elle. Vous m'avez manifesté une vive hostilité, et le personnel a refusé de répondre à mes questions chaque fois que j'ai abordé le sujet.

D'une main, elle désigna sa robe et ajouta :

— Ces vêtements, ces chaussures m'allaient comme s'ils avaient été faits pour moi. Il me semblait avoir brusquement pris possession du corps d'une autre. Il fallait que je sache pour qui vous me preniez.

Elle marqua une pause, espérant avoir réussi à le convaincre. Puis, d'une petite voix, elle ajouta :

— Vous n'auriez pas fait pareil, à ma place ?

Un long silence spéculatif retomba entre eux. Kristy sentait que son compagnon disséquait son explication, en cherchait les faiblesses, la comparait à leur précédente conversation. Lorsqu'il parla enfin, sa voix était chargée d'une lourde suspicion.

— Pourquoi défendre une femme que vous affirmez ne pas connaître ?

C'était là, en effet, une attitude difficile à expliquer. Une fois de plus, Kristy résolut de s'en tenir à la vérité. N'était-ce pas sa seule arme dans le combat qui l'opposait à Armand ?

— Vous m'avez fait comprendre que Colette était ma sœur jumelle. Je me suis sentie obligée de prendre son parti. Je ne savais pas, pour les enfants. De plus, je vous avais vu avec cette femme, dans le hall, et...

Elle s'interrompit, se remémorant la tension presque électrique qui l'avait envahie, le sentiment de possession farouche qui lui avait noué l'estomac, la *jalousie*, même, qu'elle avait éprouvée. Comme si un lien psychique avait existé entre sa sœur et elle...

— Et quoi ? demanda-t-il durement.

Kristy s'arracha à ses méditations pour se concentrer sur le visage de son compagnon. Une ombre mouvante se déroulait dans les profondeurs de son regard, et elle dut détourner les yeux pour s'arracher à son intensité hypnotique.

— J'ai éprouvé une sensation étrange. Celle de vous connaître. Même si j'étais sûre de ne jamais vous avoir rencontré, j'ai ressenti... Je ne sais pas, c'était étrange.

Le serveur revint à cet instant pour leur ôter leurs assiettes, et remplir de nouveau leurs verres de champagne. Kristy, qui avait l'impression qu'un cerceau de fer lui broyait la poitrine et contraignait sa respiration, en but plusieurs longues gorgées dans l'espoir d'apaiser ses nerfs. Puis, avec un sourire affable, elle déclara :

— Je ne connais même pas votre nom complet. Vous êtes Armand... ?

— Dutournier, acheva-t-il sèchement.

— Colette Dutournier, murmura-t-elle, comme si le fait de prononcer ce nom avait le pouvoir d'invoquer sa sœur.

— Qu'est-ce qui vous a amenée en ces lieux ? reprit son compagnon.

Son expression franchement incrédule avait laissé place à une méfiance bien compréhensible. Kristy faillit répondre « le destin » mais se retint de justesse, redoutant que cette explication pour le moins ésotérique ne la fît passer pour folle auprès d'Armand. Mieux valait s'en tenir aux faits.

— Mes parents adoptifs ont passé leur lune de miel dans cet hôtel. Ils sont tous les deux décédés. John est mort... très récemment. Je suis venue pour leur rendre hommage. Mais ce n'est qu'une étape dans mon voyage. J'avais prévu d'aller à Genève, chercher la trace de ma famille dans les archives de la Croix-Rouge.

— Quoi ? Vous aussi ?

Kristy n'aurait su dire, d'elle ou d'Armand, qui était le plus surpris. Le visage de son compagnon portait les stigmates d'une lutte intérieure dont elle ne comprenait pas l'enjeu. Lorsqu'il s'aperçut qu'elle attendait une explication, il parut reprendre le contrôle de lui-même et déclara avec une certaine irritation :

— Dans les derniers mois de notre mariage, Colette a parlé à plusieurs reprises de se rendre à Genève. J'avais déjà fait effectuer des recherches, en vain. Elle avait choisi de s'en contenter...

Il se tut, fronça les sourcils, puis reprit :

— Peu avant son départ, il semble qu'elle ait changé d'avis. Elle ne cessait de répéter que si elle y allait en personne... Bref, j'ai fini par lui conseiller d'aller à Genève, si c'était ce qu'elle voulait. Mais elle a renoncé à l'idée, préférant se tourmenter seule.

— Peut-être est-elle partie là-bas ? avança timidement Kristy. Vous l'y avez cherchée ?

— Bien sûr, répondit Armand avec un geste impatient. Là-bas et ailleurs. Mais la police ne l'a trouvée nulle part, pas plus que les détectives privés que j'ai engagés. On m'a dit qu'il était très difficile de retrouver des gens qui désiraient se faire oublier.

— Elle est partie en voiture ? demanda Kristy, qui peinait à admettre cette totale absence de piste.

— Oui. Et on n'a pas retrouvé sa voiture non plus. Colette n'était pas capable de planifier une disparition aussi parfaite. C'est sans doute l'Américain qui a tout organisé.

— Deux personnes qui disparaissent sans laisser de trace ? C'est difficile à admettre.

— Vous croyez que je n'ai pas fait tout ce qui était en mon pouvoir pour les retrouver ? demanda sèchement Armand.

Kristy n'en doutait pas une seconde. Son compagnon était un homme trop fier pour avoir accepté passivement la disparition de Colette.

— Deux ans sans rien, murmura-t-il d'une voix vibrante de frustration. Et soudain... vous. Mais vous n'avez rien à m'offrir.

Kristy baissa les yeux, tout aussi déçue que lui.

— Elle est partie le 4 juillet, reprit Armand. Le jour de l'Indépendance, aux Etats-Unis. Ah, on peut dire qu'elle a acquis son indépendance! ajouta-t-il, levant son verre en un toast moqueur.

Kristy le dévisagea sans répondre, tandis que son sang refluait brusquement de son visage. Son esprit s'était arrêté à cette date fatidique, qui coïncidait avec la crise qui l'avait frappée ce même jour...

Les médecins avaient été incapables d'expliquer ce qui lui était arrivé. Aucun passé médical ne l'expliquait, et elle n'avait jamais rien subi de semblable auparavant. En pleine ronde à l'hôpital, alors qu'elle était de service, elle se rappelait s'être brusquement arrêtée, en proie à la sensation que son cœur allait exploser. Puis il y avait eu cette impression de chute, une peur atroce, un hurlement silencieux dans sa tête... La chute, toujours et, enfin, l'horrible prémonition de la mort... Un froid glacial l'avait envahie, pulsant des profondeurs de son être. Une violente douleur lui avait serré la poitrine. Elle s'était mise à suffoquer...

On lui avait expliqué, après coup, qu'elle avait cessé de respirer. L'une de ses collègues l'avait réanimée, puis Kristy avait subi toute une batterie de tests. Les médecins n'avaient rien décelé d'anormal.

Pour la simple et bonne raison que la réponse, elle le comprenait à présent, n'avait pas été en elle. Une horreur sans nom descendit sur elle à cette idée. Colette avait disparu ce même jour. Et depuis, plus rien...

— Mademoiselle?

Le ton soucieux d'Armand pénétra confusément le halo brumeux qui paraissait s'être refermé autour d'elle. Elle le vit se pencher vers elle, très lentement.

— Quelque chose ne va pas?

Malgré tous ses efforts, Kristy peinait à se concentrer sur lui, à arracher son esprit à l'abîme.

— Dites-moi ce qu'il y a !

Il réclamait une réponse à la question qui le taraudait depuis des années : la raison de la disparition de sa femme. Sentant des larmes lui monter aux yeux, et une violente nausée lui serrer la gorge, elle préféra parler tant qu'elle en avait encore la force.

— Il y a que votre femme — ma sœur — est morte !

6.

Sitôt que le mot terrible — *morte* ! — eut franchi ses lèvres, Kristy se leva, manquant renverser sa chaise dans sa précipitation. Puis elle tourna les talons et s'enfuit vers la sortie sur des jambes tremblantes.

Elle n'avait pas fait trois pas qu'un bras puissant glissait autour de sa taille.

— Non ! protesta-t-elle.

— Vous avez besoin d'aide, insista Armand Dutournier.

Elle ouvrit la bouche pour objecter, puis soupira et se laissa guider. Il avait parfaitement raison. Elle tenait à peine debout, et la pièce autour d'elle lui semblait envahie d'un brouillard cotonneux.

Armand, de plus, voulait certainement éviter qu'elle se fît remarquer en se heurtant aux tables ou en s'effondrant au beau milieu du restaurant. C'était la raison pour laquelle il avait aussitôt bondi pour l'aider, et la tenait avec autant de fermeté. Kristy sentait un peu de sa force passer en elle, et se détestait pour l'usurpation qu'elle était en train de commettre en prenant la place de sa sœur. Colette seule avait le droit à une telle intimité avec lui.

Mais sa jumelle était morte. Et elle était innocente, de ce fait, des crimes dont l'avait accusée son mari.

— Monsieur ? fit le maître d'hôtel, venant à leur rencontre. Puis-je faire quelque chose ?

— Mademoiselle ne se sent pas très bien. Faites venir l'ascenseur.

— Bien sûr.

Kristy se laissa guider, s'efforçant de mettre un pied devant l'autre sans trébucher. Elle se moquait parfaitement des spéculations que n'allait pas manquer de provoquer une telle sortie. Cet hôtel et ses clients, tout ce luxe qui l'entourait ne faisaient pas partie de son monde. Elle-même, dans ses vêtements de grand couturier, n'était qu'une image façonnée par l'homme qui la soutenait à présent. Elle n'avait qu'une hâte : se retrouver seule pour redevenir enfin elle-même.

Un ascenseur les attendait, dans lequel ils pénétrèrent. Lorsque la grille et les portes se furent refermées devant eux, Kristy se dégagea avec une certaine brusquerie de l'étreinte de son compagnon pour aller se blottir dans un coin de la cabine.

— Je peux me débrouiller toute seule, annonça-t-elle, dévisageant Armand à travers le brouillard de ses larmes.

— Vous ne vous imaginez tout de même pas que je vais vous laisser partir comme ça, après ce que vous venez de dire ? fit tranquillement l'intéressé. Aussi peinée soyez-vous, j'ai attendu trop longtemps des nouvelles de ma femme. Je ne vous lâcherai pas tant que je ne serai pas sûr de ce que vous avancez.

— Mais je n'ai aucun moyen de le prouver ! se récria Kristy.

Une violente crampe d'estomac lui arracha une grimace, et elle se tint le ventre à deux mains. Son compagnon la regarda sans ciller, une expression d'intense résolution sculptée sur ses traits.

— Je veux savoir pourquoi vous affirmez que Colette est morte. Comment pouvez-vous le savoir, si vous ignoriez son existence?

Elle déglutit péniblement, consciente que l'ascenseur arriverait bientôt à leur étage. Elle n'avait aucune intention de laisser Armand pénétrer dans sa suite, ni de le suivre dans la sienne. Par conséquent, autant tout lui expliquer maintenant.

— C'est arrivé à 8 heures du matin, heure de San Francisco. J'ai éprouvé... un choc. Puis une chute. Une très longue chute. Dans de l'eau, je crois, de l'eau très froide. J'ai eu l'impression de me noyer. C'est tout ce que je peux vous dire.

L'ascenseur ralentissait. Elle s'éclaircit la gorge, puis ajouta :

— Cherchez un accident de voiture qui remplisse ces critères. Mesurez la distance Paris-Genève, déterminez la distance qu'elle a pu parcourir et trouvez l'endroit où une voiture a pu tomber en eau profonde.

— Pourquoi Genève? Si elle était avec l'Américain...

— Je ne sais rien de cet Américain! cria Kristy, blessée par cette accusation d'infidélité contre sa sœur jumelle. Je vous dis qu'elle allait à Genève. Dans l'espoir de me retrouver. Elle pensait à moi au moment de l'accident, et c'est pour cela que... que...

Un sanglot l'empêcha de terminer. Les portes de l'ascenseur s'ouvrirent presque au même instant, et elle en jaillit pour courir à sa chambre.

— Vous vous trompez de côté! cria Armand dans son dos.

Kristy s'arrêta et fit demi-tour, se fustigeant mentalement pour cette erreur. Essuyant ses larmes d'un revers de la main, elle fouilla à l'aveuglette dans son minuscule sac et parvint à en extraire la clé de sa chambre.

— J'ai peine à vous croire, déclara Armand, qui l'avait suivie. Tous les accidents de la route qui se sont produits ce jour-là ont été vérifiés.

Parvenue devant sa porte, Kristy prit une profonde inspiration.

— Si l'accident n'a pas été rapporté, et si la voiture a disparu, il est normal que vous n'en ayez pas trouvé trace.

— Cela fait beaucoup de « si », observa Armand d'un ton doucereux.

— Vous n'avez peut-être pas envie de la retrouver ? insinua Kristy d'un ton haineux.

Elle le regretta aussitôt lorsqu'il l'agrippa par le bras et la secoua sans douceur.

— Que voulez-vous dire, au juste ?

— Que de retrouver Colette vous donnerait des réponses que vous n'avez pas forcément envie d'entendre. Cela pourrait gâcher votre jolie histoire bien rôdée sur les raisons de sa disparition. Que se passera-t-il si l'Américain n'est pas avec elle dans la voiture ?

— Je ne veux que la vérité !

— Vraiment ? Même si elle vous apprend que Colette n'était qu'une femme tourmentée, au lieu de la garce que vous avez voulu voir en elle ?

— Vous ne savez pas ce que c'est que de voir votre femme disparaître du jour au lendemain.

— Une chose est sûre, monsieur Dutournier. Jamais

je n'admettrai que ma sœur ait pu abandonner sa famille. Surtout après ce que nous avons subi, enfants. Et vous, son mari, devriez le savoir également.

Il s'assombrit mais ne répondit pas, visiblement ébranlé par la force de sa conviction. Kristy en profita pour tenter de glisser sa clé dans la serrure, malgré sa main qui tremblait.

— Elle aurait préféré mourir que de faire une chose pareille, énonça-t-elle d'une voix mal assurée. Et c'est ce qui lui est arrivé...

De nouveau, des larmes lui montèrent aux yeux. La clé refusa obstinément de pénétrer dans la serrure et la présence d'Armand la troublait, la rendait plus fébrile avec chaque seconde qui passait.

Au bout de quelques instants, il finit par lui arracher la clé des mains.

— Rendez-la-moi !

— Non. Pas avant que nous soyons parvenus à un accord.

— A quel accord ? De quoi parlez-vous ?

— Vous allez venir avec moi à Crécy. Et vous m'aiderez à tirer cette affaire au clair.

Malgré sa confusion, Kristy nota qu'il s'agissait d'un ordre et non pas d'une demande. Comme cela convenait au personnage...

— Je ne peux pas vous aider ! objecta-t-elle farouchement. Je ne sais rien de plus !

— Vous et moi allons tirer cette affaire au clair. Si Colette a été calomniée, si notre entourage a menti, je veux le savoir. Vous m'aiderez à provoquer une réaction.

— Vous voulez que je me fasse passer pour elle ? se récria Kristy, horrifiée. Pas question !

— Ce n'est pas ce que je vous demande. Les gens verront vite que vous n'êtes pas Colette. Mais le choc initial de la ressemblance... Peut-être pourrons-nous en tirer quelque chose. En revanche, si je découvre que vous avez abusé de ma confiance, je vous promets que vous paierez pour votre sœur.

— Je n'abuse de rien du tout ! Et je ne vois pas pourquoi je vous aiderais ! Ma sœur est morte !

— Pour les enfants, déclara-t-il tranquillement. Ils sont votre famille, après tout. Vous ne voulez pas les connaître ?

Les enfants ! Pierre et Eloïse... Elle avait failli les oublier ! Elle avait une nièce et un neveu — elle n'était donc plus seule au monde ! Oui, Colette avait laissé deux petites vies derrière elle, deux vies fragiles et infiniment précieuses.

Deux enfants orphelins...

Cette idée déchira le cœur de Kristy en même temps qu'elle l'emplit d'un espoir nouveau. Elle était la tante de Pierre et d'Eloïse, et pouvait à ce titre prendre soin d'eux, les aimer, les protéger... Si du moins leur père le lui permettait.

— Où voulez-vous que je vous accompagne ? demanda-t-elle en se radoucissant.

— Chez moi. Au Château de Crécy, près de Bordeaux.

Un château. Evidemment, elle aurait dû s'attendre à ce qu'un tel homme fût propriétaire d'une demeure aussi démesurée que lui.

— Les enfants sont là-bas ?

— Oui.

« Question stupide », songea Kristy. Bien sûr, Armand avait laissé ses enfants à Crécy pour s'octroyer quelques jours de tranquillité avec la dénommée Julie.

— Qui s'occupe d'eux ?

— La demeure appartient à ma famille. Ma mère y vit, ainsi que ma sœur, mon frère et sa femme.

— Je... je pourrais rester un peu là-bas, le temps de connaître les enfants ? demanda-t-elle, incapable de dissimuler la note implorante de sa voix.

— Je ne vois aucune raison pour qu'ils ne connaissent pas la famille de leur mère.

Malgré elle, Kristy laissa échapper un long soupir de soulagement.

— Merci. Ça signifie beaucoup pour moi.

— Retrouvez-moi demain dans ma suite pour le petit déjeuner. Nous jetterons les bases d'une nouvelle enquête sur Colette.

Le retrouver dans sa suite ? A l'endroit même où il l'avait embrassée ? Kristy faillit refuser, avant de se rendre compte qu'elle n'avait aucune raison valable de le faire. De plus, si elle devait passer plusieurs jours en compagnie de cet homme, il lui faudrait apprendre à ne pas se laisser troubler par sa présence.

— A quelle heure ? s'enquit-elle.

— 9 heures, ça vous convient ?

— Parfait, monsieur Dutournier, répondit-elle avec une raideur involontaire.

— Etant donné les circonstances, il serait plus approprié que vous m'appeliez Armand. Je suis votre beau-frère, après tout.

— Très bien, Armand, répéta-t-elle, tout en se martelant qu'il n'y avait rien de particulièrement intime dans le fait de l'appeler par son prénom.

— Vous ne voyez pas d'inconvénient à ce que je vous appelle Kristy ?

— Non, murmura-t-elle, tandis qu'un frisson lui picotait la peau à la façon sensuelle qu'il avait de prononcer son nom.

— Dans l'intérêt des enfants, j'aimerais que nous leur présentions une façade... harmonieuse. Je ne veux pas que nous nous disputions devant eux.

— Je n'essaierai pas de vous les enlever, si c'est ce que vous craignez.

— Ça ne m'avait même pas traversé l'esprit, répondit Armand avec un sourire presque cruel, comme pour lui rappeler qu'il ne ferait qu'une bouchée d'elle au cas où elle tenterait de se dresser contre lui. Je ne vous retiens pas plus longtemps, à présent. Bonne nuit.

Il lui ouvrit la porte, lui rendit sa clé et s'écarta pour la laisser entrer. Après l'avoir salué, elle pénétra dans sa chambre et referma derrière elle.

Si elle avait réussi à se débarrasser d'Armand lui-même, le chasser de son esprit se révéla autrement plus difficile. Les larmes aux yeux, Kristy se débarrassa des vêtements qu'il lui avait demandé de porter — des vêtements qui avaient été taillés pour sa sœur. Elle les remit tous dans leur boîte, espérant qu'ils pourraient être renvoyés chez Dior. Elle n'avait en effet plus l'intention de les porter, et ce fut avec un vif soulagement qu'elle passa le kimono de soie que Betty lui avait rapporté du Japon.

Elle s'assit ensuite dans le canapé, fixant sans la voir la porte qui menait chez Armand. Pourquoi le destin lui avait-il joué ce tour cruel, qui consistait à lui donner une sœur et à la lui ôter tout aussitôt ? N'avait-elle pas assez souffert ?

Progressivement, son regard se focalisa sur la porte et sa serrure dorée. Quelques heures plus tôt à peine, ses battants avaient dissimulé un troublant mystère, au parfum de scandale. Un mystère dont elle avait, au prix d'une terrible souffrance, découvert la clé.

C'était le monde de Colette qui se trouvait derrière cette porte. Et dès le lendemain, elle en franchirait le seuil.

Que trouverait-elle là-bas, de l'autre côté du miroir ?

7.

La route Paris-Bordeaux défilait à vive allure devant eux, engloutie par la Mercedes qu'Armand conduisait d'une main tranquille. Ils avaient plus de cinq cents kilomètres à parcourir, et Kristy s'efforçait depuis le début du trajet de se détendre et d'observer les paysages qu'ils traversaient.

Se trouver enfermée dans un habitacle de voiture avec Armand Dutournier n'était pas chose facile, d'autant qu'ils s'étaient disputés durant le petit déjeuner. Malgré toutes ses questions, Kristy n'avait pu découvrir pourquoi son beau-frère tenait tant à ce qu'elle l'accompagnât. Bien sûr, il lui offrait en échange le droit de voir les enfants autant qu'elle le souhaitait, ce qu'elle n'aurait voulu manquer pour rien au monde. Mais elle ne pouvait s'empêcher de se sentir victime d'une sorte de chantage.

Nerveusement, elle tira sur le tissu de son tailleur. Elle aurait préféré porter son jean et sa vieille veste de cuir, mais Armand l'en avait empêchée. Bien qu'il prétendît le contraire, il avait tout fait pour qu'elle ressemblât à sa sœur.

Au moment où elle était entrée dans sa suite, ce

matin, il avait déclaré sans même prendre la peine de la saluer :

— Vous ne pouvez pas venir à Crécy habillée comme ça.

— Je n'ai pas grand-chose d'autre à me mettre, vous savez.

— Je vais vous commander des vêtements et demander qu'ils soient livrés ici.

— Non ! Je suis tout à fait capable d'aller en acheter moi-même.

— Nous n'avons pas le temps. Plusieurs couturiers ont déjà les mensurations précises de Colette.

— *Je ne suis pas ma sœur.*

Cet argument, ou peut-être le ton féroce dont Kristy l'avait formulé avaient fait hésiter Armand.

— Je vous ferai envoyer une sélection de vêtements, avait-il repris, plus posément. Vous n'aurez qu'à choisir ceux qui vous plairont.

— Je n'ai pas les moyens de m'habiller chez les grands couturiers parisiens.

— Je paierai pour tout.

— Et moi, je refuse.

— Voulez-vous venir à Crécy voir les enfants de votre sœur ?

— Vous savez très bien que oui.

— Parfait. Dans ce cas, vous viendrez à *mes* conditions.

Comprenant qu'il se montrerait intraitable, Kristy avait capitulé.

— Très bien. Mais précisez à vos couturiers que j'aime les couleurs. Le bleu et le violet, essentiellement. Qu'ils ne m'envoient ni noir ni couleurs neutres. Ce serait une perte de temps.

Il n'avait pas répondu aussitôt, et Kristy s'était crispée, prête à se battre sur ce point en apparence futile. Pour rien au monde elle ne voulait porter du noir, comme la veille. Il lui fallait préserver sa propre individualité, ne pas tomber dans le piège de l'identification totale à sa sœur.

Au moins avait-elle remporté cette petite victoire, songea-t-elle en baissant les yeux vers son tailleur bleu lavande, aux boutons vert jade. Le coffre de la Mercedes abritait un sac plein de tenues du même style, colorées, joyeuses, dont elle préférait ne pas envisager le coût. Mais c'était Armand qui avait insisté, et elle avait décidé de ne pas s'opposer à lui tant qu'elle obtenait de voir ses neveux.

— Parlez-moi de vous, demanda-t-il soudain, la tirant de ses réflexions.

Ils avaient quitté Paris depuis peu, et Kristy n'était pas fâchée d'entamer la conversation avec lui pour meubler une partie du long trajet. Elle lui retraça donc les grandes lignes de son existence, ses voyages à travers le monde, au gré des affectations de John, leur établissement définitif aux Etats-Unis et le choix qu'elle avait fait de devenir infirmière.

— Il n'y a pas d'homme dans votre vie ? interrogea-t-il lorsqu'elle en eut terminé, ponctuant sa question d'un regard scrutateur.

Songeant qu'il voulait certainement savoir combien de temps elle resterait à Crécy, elle répondit :

— Pas pour le moment. John a été très malade durant les derniers mois. Je n'ai pas eu beaucoup de temps à moi.

— Ça a dû être très difficile...

— Oui. Mais je ne regrette pas d'être restée auprès de lui.

— Vous êtes quelqu'un de très généreux.

La remarque était accompagnée d'un sourire qui atteignit Kristy droit au cœur, éveillant en elle une bouffée d'un désir inavoué. Pour la première fois, elle comprit qu'elle enviait Colette, qu'elle enviait aussi la femme qui l'avait remplacée. Armand était si séduisant...

— Comment se fait-il que vous parliez si parfaitement français ? reprit-il.

Heureuse de cette occasion de se changer les idées, elle répondit aussitôt :

— Comme je vous l'ai dit, John a passé plusieurs années aux Philippines. De là, nous allions souvent à Nouméa en vacances.

— Ah, la Nouvelle-Calédonie...

— Oui. Je me suis découvert des affinités avec le français, que j'ai appris sans mal sur place. Puis j'ai pris des cours, et j'ai effectué un voyage en France. A Paris et en Provence.

— Quand ?

— Il y a dix ans.

— Avant que je n'épouse Colette, marmonna Armand.

De nouveau, Kristy sentit une vive douleur l'envahir à l'idée que sa route aurait pu croiser celle de sa sœur jumelle bien plus tôt.

— Vous êtes née française, poursuivit son compagnon. C'est sans doute pour ça que vous parlez aussi bien cette langue.

— Je... je ne le savais pas. Avez-vous d'autres informations ? Que faisais-je en Turquie, par exemple ?

— Votre famille passait ses vacances là-bas. Vos parents, Colette et vous, le frère de votre père et sa femme, et vos grands-parents paternels. Ils campaient près du village qui s'est trouvé à l'épicentre du tremblement de terre. Colette et votre tante ont été sauvées dès le lendemain. A part vous, aucun des autres n'a survécu.

— Pourquoi n'étais-je pas avec eux?

— D'après votre tante, vous vous êtes perdue dans la panique qui a suivi la première secousse.

Kristy ferma les yeux, tentant aussi désespérément que vainement de se souvenir de son enfance.

— Quel était... mon nom de famille?

— Chaubert.

Christine Chaubert. Christine et Colette.

— Et les prénoms de mes parents?

— Marie et Philippe.

— Mes grands-parents maternels, où étaient-ils?

— Votre mère était irlandaise, et orpheline.

« Tout comme ses filles », songea Kristy avec un pincement au cœur.

— Votre tante a adopté Colette et l'a ramenée en France, poursuivit Armand, anticipant ses questions. Elle s'appelait Odile et ne pouvait plus avoir d'enfants, suite à des blessures reçues durant le tremblement de terre. Elle a épousé peu de temps après un vigneron du nom de Marc Deschamp, un veuf qui avait deux enfants déjà grands. Son vignoble se trouve dans le Bordelais. Odile est morte deux ans après mon mariage avec Colette.

— Est-ce que ma sœur était proche de son beau-père et de ses enfants?

— Marc était gentil avec elle, mais ils n'ont jamais été particulièrement proches. Et ses enfants étaient des adolescents quand Colette est arrivée.

Kristy en conclut que sa jumelle n'avait jamais eu personne à qui se confier. Elle avait donc vu juste, la veille au soir, en supposant que sa sœur s'était sentie seule au point de vouloir partir à la recherche de ses racines.

Une question demeurait : pourquoi Colette n'avait-elle pas trouvé de soutien auprès de sa belle-famille ? De son mari ? Ce point, à l'évidence, restait à éclaircir.

Mue par une soudaine résolution, Kristy décida de profiter de son séjour à Crécy pour faire la lumière sur ces interrogations. Quelque chose avait poussé Colette à partir en hâte pour Genève, et elle était fermement déterminée à découvrir quoi. Sa sœur s'était-elle sentie oppressée par la richesse des Dutournier, par le fait d'être accueillie par une famille dont les origines remontaient au Moyen Age ?

Le château de Crécy lui-même, lui avait expliqué Armand durant le petit déjeuner, n'avait été construit qu'au début du XIXe siècle. Mais sa famille trouvait ses racines dans une histoire lointaine, et avait fourni à toutes les époques des hommes puissants, des princes, des généraux, des bâtisseurs d'empires industriels. Armand ne faisait pas exception à la règle. Le vignoble qu'il dirigeait était immense et prospère, connu dans le monde entier.

Elle fronça les sourcils, troublée. Etait-ce pour qu'elle ne se sentît pas mal à l'aise dans ce monde d'opulence et de luxe qu'il l'avait forcée à changer de vêtements ? Etait-ce par souci d'intégration, ou nourrissait-il un projet secret ? « Le choc de la ressemblance », avait-il suggéré la veille. Auprès de qui voulait-il provoquer ce choc ? Et pourquoi ?

« Il m'utilise », se désola-t-elle en silence. Mais au moins ai-je accès par ce biais à mes neveux... »

L'après-midi touchait à sa fin lorsqu'ils s'engagèrent dans l'allée d'arbres qui menait au Château Crécy-Dutournier. Kristy s'était préparée à une demeure magnifique, mais elle eut néanmoins le souffle coupé en la découvrant.

Le château se dressait au milieu d'un parc dont l'élégante alternance de pelouses, de haies et de bassins n'était pas sans rappeler, à moindre échelle, celle de Versailles. On accédait à la bâtisse, haute de trois étages, par un magnifique escalier de pierre. Un portique soutenu par quatre colonnes monumentales protégeait le perron.

— Je me suis arrangé pour que vous rencontriez les enfants en premier, annonça Armand en immobilisant la Mercedes. Je pense que c'est ce que vous désirez ?

— Oui, répondit Kristy d'une voix étranglée.

Il mit pied à terre et elle retint son souffle tandis qu'il venait lui ouvrir. Elle renonça à lui prendre le bras pour descendre, et prit soin de maintenir une certaine distance entre eux comme ils montaient les marches du perron. Malgré cela, elle était plus troublée par cet homme que par aucun de ceux qu'elle avait connus. Dire qu'elle s'apprêtait à s'installer chez lui, à vivre sous le même toit ! Réussirait-elle à maintenir cette distance entre eux, alors qu'un seul des regards d'Armand suffisait à éveiller en elle des désirs secrets, insoupçonnés ?

L'une des grandes portes de l'entrée s'ouvrit lorsqu'ils atteignirent le perron, livrant passage à une femme entre deux âges, entièrement vêtue de noir. Armand, comme si de rien n'était, se chargea des présentations.

— Thérèse, voici Mlle Holloway. Thérèse est en

charge du personnel et veillera à votre confort durant votre séjour ici, Kristy.

— Bienvenue, mademoiselle.

La gouvernante s'était exprimée avec une componction qui allait parfaitement avec sa stricte apparence. Mais une lueur curieuse brillait dans son regard.

— Merci, répondit Kristy, se demandant quelles avaient été les relations de Thérèse et de Colette.

— Les enfants sont dans le grand salon, monsieur, avec votre mère.

— Vraiment ? murmura Armand avec un sourire noir. Ma mère est présente ?

— Elle en a manifesté le désir, monsieur.

— Ainsi donc, ça commence. Nous vous suivons, Thérèse.

Kristy, consciente des non-dits qui sous-tendaient cet échange, ne protesta pas lorsque Armand la prit par le bras et la conduisit à l'intérieur, dans un hall impressionnant.

— N'oubliez pas, lui murmura-t-il à l'oreille. Nous devons offrir une apparence unie.

Il s'agissait plus d'un ordre que d'un simple rappel, mais Kristy était bien trop préoccupée pour s'en soucier. Pourquoi cette hostilité qu'elle sentait percer entre Armand et sa mère ? La soupçonnait-il d'être responsable des malheurs de Colette ? Il y avait fort à parier que, si cette femme était responsable du départ de l'une des jumelles, elle accueillerait l'autre sans grand enthousiasme.

Se préparant donc à affronter une éventuelle opposition, Kristy pénétra dans un vaste et fabuleux salon. Du coin de l'œil, elle eut le temps d'enregistrer l'élégance du mobilier et de la décoration, les superbes proportions de la pièce, le bois doré et brillant du parquet.

Mais ce furent surtout les enfants qui captèrent son attention. Assis sur un canapé, chacun d'un côté d'une femme sévère, ils cessèrent de s'agiter et se turent pour la dévisager.

Le petit garçon ressemblait tellement à Armand qu'il était impossible de voir autre chose que son père en lui. En regardant la petite fille, en revanche, Kristy éprouva un choc. Elle avait sous les yeux le portrait d'elle-même à l'âge de trois ans : mêmes yeux bleus qui dévoraient un charmant minois, même peau laiteuse, même masse de cheveux fauves.

Sa gorge se serra. Elle avait enfin une famille. Une vraie famille, incarnée, à portée de main...

Les enfants la fixaient avec le même ébahissement. Se rappelaient-ils seulement leur mère ? Pas clairement, sans doute. Pierre devait avoir cinq ou six ans, sa sœur deux ans de moins. Un long silence était tombé dans la pièce, et le temps lui-même paraissait s'être figé pour capter en un instantané les mines stupéfaites ou pensives des protagonistes. Kristy aurait voulu agir, dire quelque chose, mais il lui semblait être paralysée.

Le petit garçon rompit la transe, bondissant à bas du canapé et s'avançant vers elle avec une expression déterminée qui n'était pas sans rappeler celle d'Armand.

— Tu ressembles à maman, déclara-t-il. Papa l'avait dit.

— Je suis la sœur jumelle de ta maman, expliqua Kristy avec un sourire engageant. Ta tante Kristy, d'Amérique.

— Maman est partie en Amérique ?

— Je suis désolée, Pierre, je ne sais pas où est ta maman. Je ne savais même pas qu'elle existait avant de rencontrer ton papa. J'ai très envie de vous connaître, ta sœur et toi. J'espère que tu as envie de me connaître aussi...

Pierre la jaugea, visiblement pensif, et fit valoir :

— Maman me faisait beaucoup de câlins.

Il avait beau avoir l'assurance crâne de son père, le petit garçon avait le même besoin d'affection que sa mère...

— Je te ferai autant de câlins que tu voudras, répondit Kristy d'une voix rauque d'émotion.

Un sourire lunaire apparut sur le visage de Pierre, qui ouvrit les bras et se précipita vers elle. Elle le souleva de terre en riant, tandis qu'il s'accrochait à sa nuque et se dévissait le cou pour se tourner vers sa sœur.

— Eloïse ne se souvient pas de maman. Elle était trop petite quand maman s'est perdue. Mais maintenant, grâce à toi, elle va savoir à quoi elle ressemblait.

Kristy l'espérait de tout son cœur. Mais une simple ressemblance physique suffirait-elle à combler le vide affectif des enfants ?

— Pas vrai, papa, que Kristy lui ressemble ? observa Pierre avec excitation.

— Oui, confirma Armand, un sourire affectueux aux lèvres. Viens dans mes bras, maintenant, pour laisser Tante Kristy embrasser Eloïse.

Pierre s'exécuta, mais sa sœur resta timidement blottie près des genoux de sa grand-mère.

— Allez ! s'exclama le petit garçon avec impatience. N'aie pas peur ! Regarde ses cheveux ! Ce sont les mêmes que les tiens ! Les mêmes que ceux de maman. Je te l'avais dit !

D'une main hésitante, Eloïse toucha ses propres cheveux, visiblement fascinée par la comparaison. Kristy s'approcha d'elle lentement, pour ne pas l'effaroucher.

— Est-ce que Pierre te dit tout le temps quoi faire, Eloïse ?

La petite fille, en réponse à la question, acquiesça gravement.

— Mais tu n'obéis pas toujours ?

Eloïse secoua la tête.

— Qu'est-ce que tu as envie de faire, en ce moment ?

La petite fille baissa les yeux, apparemment intimidée. Kristy mit un genou à terre et reprit :

— Pour ma part, j'ai envie de te prendre dans mes bras. Tu es d'accord ?

Eloïse hésita, jeta un regard incertain à son père, qui hocha la tête. Alors, elle s'avança vers Kristy, la laissant la serrer contre elle sans protester. Puis elle lui toucha les cheveux et déclara avec émerveillement :

— Tu as des cheveux comme moi.

« Et comme ta mère », songea Kristy avec déchirement. Comme sans doute notre grand-mère irlandaise. »

Au moins avait-elle retrouvé les enfants, finalement. Elle avait réussi à reconstituer le minuscule noyau familial qu'un destin mauvais s'était échiné à briser. Et plus personne ne pourrait la séparer d'eux. Ni Armand ni Julie. Ni leur grand-mère qui, ainsi qu'elle s'en aperçut brusquement, l'observait avec attention.

Armand et elle avaient laissé les retrouvailles suivre leur cours sans essayer d'intervenir, sans même songer à faire les présentations. Kristy s'était naturellement focalisée sur les enfants, mais elle avait à présent conscience d'avoir fait preuve d'une certaine impolitesse en ignorant Mme Dutournier. Cette dernière était en effet officiellement son hôtesse en ces lieux.

— Madame Dutournier..., murmura-t-elle avec un sourire penaud.

L'intéressée aurait pu avoir entre quarante et soixante ans. Son visage était bien plus marqué par la sévérité que par le temps, mais des mèches grises dans ses cheveux indiquaient qu'elle n'était plus de première jeunesse.

— Mademoiselle Holloway.

— Tu es satisfaite, maman ? intervint Armand avec une pointe d'ironie.

Elle se leva, et Kristy ne put s'empêcher d'admirer son port altier, la formidable autorité qui se dégageait de tout son être et se heurtait de plein fouet à celle de son fils. Elle fut presque étonnée de ne pas voir d'étincelles jaillir entre eux.

— Tu ne pensais tout de même pas que j'allais ignorer une telle invitée, Armand ? Mais je vous laisse avec les enfants, à présent.

Elle tourna vers Kristy un regard gris, presque glacial.

— Nous parlerons au dîner. Ce sera une soirée intéressante, à n'en pas douter.

Kristy affronta son regard sans ciller, offusquée de la froideur d'un tel accueil.

— Je n'en doute pas une seconde, répondit-elle du même ton.

Mme Dutournier leva un sourcil noir et étonné.

— Je vois que la ressemblance n'est qu'apparente, murmura-t-elle. Mais bien sûr, je suppose que vous nous réservez d'autres surprises.

— A ce soir, maman, déclara Armand, impérieux.

L'intéressée acquiesça, puis disparut sans un mot. Kristy la suivit du regard, songeant avec émoi que cette femme était peut-être indirectement responsable de la mort de sa sœur...

8.

Kristy éprouva un vif plaisir, ainsi qu'un immense soulagement, à se voir acceptée inconditionnellement par les enfants. Pierre et Eloïse lui montrèrent leurs chambres avec excitation, ainsi que la salle qui était dévolue à leurs jeux — une pièce regorgeant de poupées, de peluches, de voitures et de trains électriques.

Jeanne, leur gouvernante, était une femme jeune et sympathique qui accueillit Kristy avec décontraction. Elle n'était malheureusement là que depuis dix-huit mois, ce qui signifiait qu'elle n'avait pu connaître Colette. Ravalant son dépit, Kristy se laissa entraîner par les bambins à travers la salle, à la découverte de leurs trésors personnels.

Armand resta avec eux, et Kristy découvrit avec étonnement qu'il n'était pas un père distant. Eloïse grimpait joyeusement sur ses genoux, Pierre quêtait en permanence son approbation. A l'évidence, ces enfants n'étaient pas le moins du monde négligés, ce qui ôtait à Kristy un argument essentiel pour prolonger son séjour.

Elle avait conscience qu'Armand l'observait, détaillait le moindre de ses faits et gestes, prêt à intervenir si elle faisait un faux pas. Il était, à l'évidence, extrêmement protecteur envers sa progéniture. Au point d'en devenir étouffant ? Il était fort possible que Colette n'eût pas supporté une telle pression...

Lorsqu'une domestique arriva pour servir un thé dans la dînette des enfants, Armand en profita pour prendre congé.

— Votre tante a besoin de se reposer, à présent. Elle a fait un long voyage, et il faut encore que je lui montre sa chambre. Vous la reverrez demain.

— Demain matin, papa ? demanda Pierre avec excitation.

— Demain matin, lui promit Kristy, fermement décidée à passer avec eux le plus de temps possible.

Elle les embrassa tous deux avant de suivre le maître des lieux dans un dédale de couloirs élégamment décorés.

— J'espère que vous ne voyez pas d'objection à ce que je joue avec les enfants ? demanda-t-elle après quelques instants d'hésitation.

— Pas le moins du monde, répondit son compagnon d'un ton étonnamment cordial. Ils vous apprécient beaucoup.

— Ils sont vraiment adorables.

— Pas avec tout le monde, murmura Armand, détournant fugitivement le regard.

— A qui faites-vous allusion ? Pas à leur gouvernante, je suppose. Ils ont l'air de bien s'entendre avec elle.

Il ne répondit pas aussitôt, et ne reprit la parole que lorsqu'ils arrivèrent au pied d'un imposant escalier de marbre conduisant à l'étage.

— J'ai choisi Jeanne moi-même, déclara-t-il d'un ton de noire satisfaction.

— Pourquoi ? Ils n'aimaient pas la gouvernante que leur avait choisie Colette ?

— Mme Marchand ? Ce n'est pas Colette qui l'avait choisie, mais ma mère. Elle pensait que les enfants avaient besoin d'ordre et de discipline. A l'époque, je me suis soumis à son avis.

— Pourquoi pas à celui de ma sœur ?

— Colette souffrait de dépression post-natale, après la naissance d'Eloïse. Elle ne s'intéressait à rien.

Kristy acquiesça, pensive. Elle savait, par son métier d'infirmière, que la dépression post-natale ne pouvait être prise à la légère. Avait-elle contribué à fragiliser sa jumelle, et à hâter son départ ? La chose était plus que probable.

Elle y réfléchit quelques instants tout en montant l'escalier, puis demanda :

— Elle ne se préoccupait donc pas le moins du monde de savoir qui gardait ses enfants ?

— Plus tard, si. Mais rien ne paraissait la satisfaire, à cette époque. Je crois que j'aurais dû prêter plus d'attention à ses plaintes. Cela aurait peut-être changé le cours des choses...

La fin de sa phrase se perdit dans un silence lourd de sous-entendus. Il regrettait, à l'évidence, de ne pas s'être montré plus compréhensif. Kristy se surprit même à lui chercher en silence des circonstances atténuantes. Un homme qui aimait à ce point ses enfants ne pouvait avoir totalement négligé son épouse...

— Ce n'est que six mois après le départ de Colette que Pierre m'a avoué que sa sœur et lui détestaient leur gouvernante. Je l'ai renvoyée aussitôt, malgré les protestations de ma mère, pour engager Jeanne. Depuis, Pierre est bien moins turbulent et Eloïse moins craintive. Je pense que votre venue leur sera également très profitable.

Kristy en avait bien l'intention, et elle était heureuse qu'Armand et elle fussent d'accord sur ce point. Sa présence en ces lieux en acquérait une légitimité nouvelle.

Une minute plus tard, son compagnon lui ouvrait la porte d'une vaste chambre où ses bagages avaient été déposés. La pièce — une merveille de décoration dans les tons or et rouge — semblait n'avoir pas changé depuis les premiers temps du château. Un imposant lit à baldaquin se dressait en son centre, faisant face à une coiffeuse dont les multiples miroirs reflétaient la chambre entière. Des vases fleuris, des tableaux et diverses statuettes égayaient le mobilier de bois de rose.

— Les deux portes qui encadrent le lit conduisent à votre salle de bains et à votre dressing, expliqua Armand.

— Et celle-ci? s'enquit Kristy en désignant une troisième porte, dans le mur qui faisait face au lit.

— Elle communique avec ma chambre.

Il avait répondu d'un ton badin, mais elle sentit son cœur s'emballer.

— Vous m'installez dans une chambre voisine de la vôtre? remarqua-t-elle nerveusement.

— Vous n'avez pas à vous en faire. Il y a un loquet.

Loquet ou pas, Kristy savait qu'elle ne pourrait s'empêcher d'être troublée par l'idée de dormir si près de lui.

— Il n'y a donc pas d'autre chambre dans tout ce château?

— C'était celle de Colette, expliqua Armand d'un

ton doux. Je pensais que vous apprécieriez de vous sentir... proche d'elle.

Kristy déglutit, tandis que son estomac effectuait un triple salto. Comment pouvait-elle être proche de Colette sans être proche de lui ? Elle en éprouva un soudain malaise, l'étrange sensation de suffoquer.

— Pourquoi faisiez-vous chambre à part ? demanda-t-elle avec une certaine agressivité. C'est ainsi que fonctionne un mariage, dans ce pays ?

Le visage d'Armand se ferma brusquement, lui faisant regretter sa virulence.

— Ce n'était pas de mon fait.

— Peu importe. Si l'idée de faire chambre à part venait de Colette, il devait bien y avoir une raison ! Qu'avez-vous fait pour la pousser à une telle décision ?

— Vous allez trop loin..., indiqua son compagnon d'une voix sourde.

— Je ne savais pas qu'il y avait des limites à la vérité, riposta-t-elle, peu soucieuse de ménager sa susceptibilité.

Armand la foudroya du regard, puis prit une profonde inspiration.

— Colette a insisté pour que nous fassions chambre à part après la naissance d'Eloïse. Elle voulait être seule et, par respect pour elle, je ne m'y suis pas opposé.

— Combien de temps a duré ce petit arrangement ? reprit Kristy, décidée à ne pas s'en laisser conter. Vous avez dit vous-même qu'elle avait recommencé à s'intéresser aux enfants, ce qui signifie que sa dépression post-natale avait pris fin.

— En effet, acquiesça Armand avec un geste irrité. Mais elle s'est persuadée que j'avais une liaison avec Julie.

— Et ce n'était pas vrai ?

— Bien sûr que non ! Et je ne vous laisserai pas m'en accuser également !

— Colette devait pourtant avoir une raison pour s'imaginer cela, non ?

— Peut-être lui était-il plus facile de consacrer son énergie à la jalousie plutôt qu'à quelque chose de constructif.

— Il doit bien y avoir une raison, répéta Kristy, obstinée.

Armand posa sur elle un regard brûlant, qui fit courir un frisson d'appréhension le long de sa peau.

— Oui. Il y a sûrement eu une raison. Une raison que je compte découvrir, avec votre aide.

— Que voulez-vous dire... avec mon aide ?

— Avoir la jumelle de mon épouse près de moi, sous mon toit, est une situation quelque peu piquante qui pourra en déranger certains.

« A commencer par moi », songea Kristy.

— Je ne suis pas très sûre d'apprécier la tournure des événements, maugréa-t-elle.

— Cela fait partie de notre contrat, décréta Armand. Vous avez eu ce que vous vouliez, non ? Vous pouvez voir les enfants autant que vous le désirez.

Il lui rappelait ce faisant que ce droit qu'il lui avait accordé pouvait être abrogé tout aussi brusquement, et Kristy ravala une réponse acerbe. Il s'approcha d'elle, très lentement, le regard rivé sur le sien comme pour la soumettre à sa volonté.

— Vous m'avez convaincu que deux sœurs jumelles pouvaient éprouver la même chose. Peut-être ressentirez-vous ce que votre sœur a ressenti en ces lieux... Encore qu'il y ait en vous une force, un feu que Colette n'avait pas.

Il se tut, baissant sans vergogne les yeux vers ses lèvres, puis descendant le long de son corps avec une visible admiration. Kristy sentit son ventre se nouer aussi sûrement que s'il venait de la toucher, de poser la main sur elle. Une bouffée de désir pulsa au creux de ses reins, puis courut sous sa peau jusqu'à la racine de ses cheveux.

Stupéfaite, elle sentit sa raison abdiquer durant quelques secondes. Elle se surprit à regarder Armand en retour, sans tenter de briser ce lien immatériel qui s'était noué entre eux, le nourrissant au contraire d'un langage secret qui émanait de tout son être. Le parfum de son compagnon l'enivra brusquement, avec une violence presque surnaturelle, lui faisant tourner la tête. Ses oreilles s'emplirent d'un ressac sourd et précipité qu'elle identifia comme étant les battements de son cœur. Un picotement parcourut ses lèvres, et elle dut faire appel à toute sa volonté pour ne pas se dresser sur la pointe des pieds et les presser contre celles d'Armand.

Il rompit cette transe le premier. Sa voix, rauque, laissait supposer qu'elle n'avait pas été la seule à la ressentir.

— Que vous le vouliez ou non, Kristy, votre place est ici, pour le moment.

— Pourquoi cela? marmonna-t-elle en détournant enfin le regard.

— Parce que je crois que le destin vient de nous accorder une nouvelle chance.

— Prenez garde de ne pas me confondre avec ma sœur. Je n'ai pas l'intention de jouer ce petit jeu avec vous.

— Ne vous inquiétez pas. Les choses suivront naturellement leur cours.

— C'est moi qui ne suis pas très sûre de vous suivre... Que voulez-vous dire ?

— Ne vous en faites pas, répondit Armand avec un rire grave. Vous le saurez bien assez tôt. La famille se réunira dans le grand salon à 19 h 30. Mettez une tenue de soirée. Si vous avez besoin d'une femme de chambre pour vous aider à défaire vos bagages, utilisez la sonnette qui se trouve près du lit.

— Mais je... je ne sais pas où est le salon.

— Je vous y conduirai. Je frapperai à votre porte à 19 h 25.

— A quelle porte ? interrogea-t-elle nerveusement, jetant un regard rapide à celle qui séparait les deux chambres.

— A celle par laquelle nous sommes arrivés, bien sûr, répondit Armand avec un sourire en coin. Je vous laisse, à présent. A tout à l'heure.

Elle le regarda se diriger vers la sortie, quelque peu honteuse. Armand n'avait commis aucun geste indécent, mais la proximité de leurs chambres respectives lui donnait une désagréable et troublante sensation de vulnérabilité. Cet homme envahissait son espace vital avec une violence totalement nouvelle pour elle. A tel point que Kristy se surprenait à regretter que les circonstances ne fussent pas différentes...

— Est-ce que Julie a déjà occupé cette chambre ?

La question avait franchi ses lèvres sans même qu'elle en eût conscience. Elle l'avait formulée, de plus, d'un ton de jalousie à peine contenue, comme Colette elle-même l'avait peut-être fait deux ans auparavant.

Armand, qui était parvenu au seuil de la pièce, pivota lentement, presque au ralenti. Son regard traversa l'espace et transperça Kristy de part en part.

— Non. Et elle n'y viendra jamais. Tant que vous resterez, en tout cas.

Puis il sortit, laissant ces mots tourner dans l'esprit de Kristy avec leur cortège de sous-entendus. La porte de communication entre leurs chambres attira son attention, fit palpiter son cœur, courir une démangeaison dans sa main. Elle brûlait d'envie de l'ouvrir, tout comme elle l'avait fait à l'hôtel.

« Tant que vous resterez », avait-il précisé.

Armand désirait-il qu'elle prît la place de Colette ? Avec lui... derrière cette porte ?

9.

Kristy fixait son reflet dans le miroir de la chambre, partagée entre la fascination et l'angoisse. Fascination de porter une robe splendide, qui mettait merveilleusement sa silhouette en valeur. Angoisse d'avoir peut-être effectué un mauvais choix. Car elle n'avait pas eu le temps d'essayer les vêtements qu'Armand lui avait fait envoyer à l'hôtel, et s'était contentée d'en sélectionner quelques-uns pour la beauté des tissus et des couleurs.

L'allure que lui donnait la robe portant la griffe d'Hervé Léger était pourtant époustouflante. Mais cette femme aux épaules fines, au décolleté vertigineux et aux courbes affolantes était-elle vraiment Kristy Holloway? Jamais de sa vie elle n'avait porté de vêtements aussi sexy et coûteux, son métier et ses finances ne le lui permettant pas.

Elle tourna sur elle-même pour étudier le drapé de la soie, qui épousait son corps comme une seconde peau. L'ourlet de la robe s'arrêtait à mi-cuisses, accentuant la longueur et le galbe de ses jambes. Une étrange luminescence paraissait l'envelopper, due à la texture moirée du tissu, d'un bleu pâle envoûtant. Ses sandales argentées, à talons hauts, la grandissaient et la frappaient du sceau d'une féminité presque arrogante. Si Armand avait voulu produire un choc en lui achetant ces vêtements, il avait parfaitement atteint son but. Mais ne jouait-elle pas avec le feu en acceptant de les porter ?

Son cœur remonta dans sa gorge lorsque deux coups brefs furent frappés à sa porte. Il était trop tard pour se changer, désormais. Il était fort probable, de plus, que les autres tenues seraient tout aussi troublantes que celle qu'elle portait. D'une main qui tremblait légèrement, elle lissa une dernière fois la robe sur ses cuisses et, après avoir pris une grande inspiration, alla ouvrir.

La vue de son compagnon lui procura un choc plus vif encore que le soir précédent. Armand se tenait légèrement en retrait du seuil, extrêmement séduisant dans son smoking noir. Il lui sourit et lui décocha un regard d'appréciation qui la fit secrètement jubiler, ce dont elle se morigéna aussitôt. Elle ne devait pas oublier que les intentions de son hôte étaient toujours obscures. Lui avait-il raconté la vérité sur son mariage ? Sur ses relations avec Julie ?

— N'ayez pas peur, enjoignit-il d'une voix douce, comme s'il avait perçu ses interrogations. Je serai avec vous pour affronter ma famille.

Ce n'était pas sa famille qu'elle redoutait, mais elle se garda bien de le lui dire.

— Dommage que vous n'ayez pas soutenu aussi bien Colette, rétorqua-t-elle, plus pour se distraire de son trouble intérieur que par réel désir de l'accuser.

— C'était une grave erreur de ma part, reconnut-il, à sa grande surprise. Une erreur que je n'ai pas l'intention de répéter.

Une nouvelle fois, elle crut déceler dans ses mots un double sens, une promesse indéterminée. La gorge nouée, elle tira la porte derrière elle et l'accompagna dans une série de couloirs qu'elle ne reconnut pas. Après quelques secondes d'un cheminement silencieux, elle demanda :

— Qu'est-ce qui a rendu Colette si malheureuse, à votre avis ?

Armand parut réfléchir quelques secondes, puis il tourna vers elle un regard énigmatique.

— Tout ce que je peux vous dire, c'est que vous serez la prochaine cible. Ceux qui ont voulu éloigner Colette de moi feront certainement de même avec vous. Je ne voudrais pas orienter votre propre jugement en vous faisant part de mes soupçons.

Ainsi, elle était là pour servir de cible. Un plan simple — en apparence du moins...

— Je compte sur vous, Kristy, ajouta-t-il à mi-voix.

En cet instant, elle eut la certitude que son rôle ne se bornerait pas à servir d'appât. L'attirance qui existait entre eux était bien réelle, et Armand ne faisait de son côté rien pour la dissimuler. Comptait-il s'en servir, d'une façon ou d'une autre ?

— Nous y sommes, annonça-t-il, coupant court à ses interrogations.

Ils étaient parvenus devant une porte à double battant, peinte en bleu ciel et ornée de moulures dorées.

— Ma famille..., murmura Armand, une lueur narquoise dans le regard.

Puis il ouvrit la porte en grand. Le cœur battant à cent à l'heure, Kristy pénétra dans un salon dont l'élégance clamait la richesse des propriétaires. Trois profonds canapés étaient regroupés autour d'une table basse en marbre blanc veiné de rose. Une imposante cheminée constituait le quatrième côté du carré ainsi formé.

Deux des canapés étaient occupés, et Kristy comprit que le dernier leur était destiné, à Armand et à elle. Son compagnon, sans prévenir, la prit par la taille, en un geste d'affection naturelle qui la fit cependant se raidir. Il dut le sentir, car il tourna vers elle un regard confiant avant de déclarer :

— Commençons les présentations. Tu as déjà rencontré ma mère...

La maîtresse de maison, extrêmement élégante dans une robe blanche et noire, hocha légèrement la tête, tout en étudiant soigneusement Kristy.

— Votre sœur m'appelait Clémence. Je vous invite à faire de même.

Surprise par cette légère concession, Kristy acquiesça en retour.

— Merci beaucoup.

— A côté, poursuivit Armand, Stéphanie, ma sœur. L'intéressée dévisagea Kristy sans sourire. Agée d'une trentaine d'années environ, elle portait les cheveux au carré et une robe aux zig-zag rouges et noirs pour le moins voyante. Son rouge à lèvres soulignait sa moue boudeuse.

— Tiens, tiens, murmura-t-elle, levant un sourcil charbonneux à l'intention de son frère. Une autre Colette. La première ne t'a pas suffi ?

Cette saillie hostile et glaçante prit Kristy de court. Malgré elle, elle se tourna vers son compagnon, quêtant en silence le soutien qu'il lui avait promis.

— Un semblant de politesse serait bienvenu, Stéphanie, répondit-il froidement.

Sa sœur lui retourna un regard venimeux, avant de rétorquer :

— Tu trouves que tu as été poli avec Julie ? Tu l'as abandonnée pour la jumelle d'une femme qui s'est moquée de toi !

L'argument, concéda Kristy en silence, était recevable. Elle se demanda cependant ce qu'il était advenu de la dénommée Julie.

— Ma relation avec Julie ne te regarde pas.

— C'est mon amie !

— Seulement ton amie ? J'ai parfois l'impression qu'il y a plus que cela, ironisa Armand.

Deux taches rouges apparurent sur les joues de Stéphanie, sous l'effet de la colère. Parfaitement déroutée, Kristy suivait l'échange sans mot dire.

— Si tu sous-entends que...

— Je ne sous-entends rien. Je me souviens seulement que tu as invité Julie de nombreuses fois et qu'elle a séjourné longtemps ici avant le départ de Colette.

— C'est ma meilleure amie ! protesta Stéphanie. Tu l'as laissée tomber, tu l'as humiliée ! Et pour quoi ?

— Pour la famille, répondit tranquillement Armand. Car contrairement à toi, je la fais passer avant les amis. Dois-je te rappeler que Kristy est la tante de mes enfants ?

Refermant une main autoritaire sur le bras de sa fille, Clémence Dutournier lui imposa le silence et fit valoir :

— Kristy est également l'invitée d'Armand. Nous nous devons de l'accueillir dignement.

Stéphanie eut un geste d'irritation, puis tourna vers Kristy un sourire parfaitement hypocrite.

— Je suis sûre qu'il sera très intéressant de faire votre connaissance, ironisa-t-elle.

— Je l'espère, répondit Kristy d'un ton neutre.

Elle avait bien conscience que rien ne pourrait changer l'hostilité de cette femme à son égard, mais elle décida d'essayer malgré tout.

— Je suis navrée si ma présence vous dérange. Telle n'était pas mon intention.

— Vous ne dérangez personne, lui répondit une voix grave et affable.

L'homme qui était assis dans le deuxième canapé, à côté d'une femme enceinte, se leva et lui tendit la main. Il ressemblait à Armand en plus trapu, en moins élégant. Ses cheveux avaient une tendance à friser qu'il tentait de contrarier à grand renfort de gel, mais quelques mèches indociles surgissaient par endroits, lui prêtant une allure presque comique.

— Je suis François, le frère cadet d'Armand, annonça-t-il. Soyez la bienvenue à Crécy.

Il était à l'évidence peiné par la réaction violente de sa sœur, et tentait de la faire oublier par son amabilité. Kristy lui adressa un sourire reconnaissant.

— Merci beaucoup, François.

— Et voici ma femme, Nicole. Excusez-la de ne pas se lever, mais comme vous le voyez, notre premier enfant est pour bientôt.

— Enchantée de vous rencontrer, Nicole.

— Moi de même, répondit l'intéressée avec un sourire timide.

C'était une femme très jeune, au visage engageant encadré de longs cheveux noirs. Kristy sentit que, sans la présence écrasante de Stéphanie, Nicole se serait sans doute montrée plus loquace. Pour l'instant, cependant, elle gardait les mains jointes sur ses genoux et les yeux fixés sur la table basse.

— Asseyez-vous, reprit François en indiquant le canapé libre. Que prendrez-vous ? Du champagne ?

Kristy hocha la tête et s'assit en face de Clémence Dutournier. Elle remarqua que cette dernière avait relâché le bras de sa fille, qui s'était enfermée dans un silence vindicatif et sans nul doute provisoire.

Tandis qu'il remplissait leurs coupes, François les questionna sur leur séjour à Paris, visiblement soucieux d'entretenir la conversation et d'éviter les silences maladroits. Lorsque le sujet se tarit, Clémence embraya aussitôt sur la vie professionnelle de Kristy. Cette dernière répondit avec aisance et décontraction, estimant qu'elle n'avait rien à cacher.

— Vous êtes infirmière ? ricana Stéphanie, comme s'il s'était agi d'un métier méprisant.

Déterminée à ne pas s'en laisser remonter, Kristy lui répondit d'un hochement de tête et d'un sourire affable. Puis elle se tourna vers l'épouse de François pour ajouter :

— J'ai d'ailleurs beaucoup travaillé en maternité. Si vous avez des questions à poser, je serai ravie d'y répondre.

— C'est très gentil..., murmura Nicole en s'empourprant légèrement.

— Je ne savais pas que les infirmières étaient si bien payées, persifla Stéphanie. C'est une robe Hervé Léger que vous portez, si je ne m'abuse ?

— C'est exact.

— Une robe qui lui va à ravir, intervint Armand.

Kristy le remercia d'un signe de tête, espérant que rien ne trahissait les battements effrénés de son cœur et son trouble intérieur.

— Le dîner doit être prêt, grogna Stéphanie en bondissant sur ses pieds.

— Certainement, fit Clémence, se levant avec bien plus de majesté.

Tous se dirigèrent vers une porte dorée qui s'ouvrait au fond de la pièce. Tout en marchant, Armand glissa de nouveau un bras nonchalant autour de la taille de Kristy. Cette dernière eut beau se répéter que ce geste ne prêtait pas à conséquence, elle n'en éprouva pas moins un émoi digne de ses années d'adolescence.

La salle à manger dans laquelle ils passèrent était décorée dans des tons rappelant le salon qu'ils venaient de quitter. Les teintes pêche, vert pâle et crème des murs répondaient à celles, plus sombre, du bois de la table et des chaises. Kristy, qui avait l'impression d'évoluer dans un musée, peinait à croire que l'on pût vivre en ces lieux.

Le couvert, tout de porcelaine, cristal et argent, avait été dressé pour six. En un rituel visiblement bien huilé, chacun des membres de la famille avait pris place derrière une chaise. Clémence Dutournier siégeait à une extrémité, son fils aîné à l'autre. La seule place libre se trouvait entre la maîtresse de maison et sa fille, mais Armand retint Kristy lorsqu'elle voulut s'y diriger.

— Stéphanie, déclara-t-il d'un ton qui n'admettait pas de contestation, j'aimerais être assis à côté de notre invitée durant le dîner. Veux-tu bien lui céder ta place ?

— Kristy n'est pas ta femme ! riposta sa sœur avec fureur. J'ai le droit de garder cette place.

— Tu n'en as le droit que si je te le donne, trancha Armand, la mâchoire crispée. Laisse-lui ta place.

Stéphanie lui retourna un regard où scintillait une haine nue et féroce. Mais elle haussa les épaules et se décala d'une place, prenant celle qui se trouvait près de sa mère.

— Je ne te comprends pas, Armand, susurra-t-elle. Si j'étais Kristy, je n'aimerais pas occuper la chaise de ma sœur.

— Je la lui offre comme un honneur, répondit l'intéressé. Et je sais qu'elle le prend comme tel. N'est-ce pas, ma chère ?

— Je... Oui, bien entendu.

Clémence Dutournier s'assit et, à ce muet signal, toute la famille fit de même. Quelque peu abasourdie par l'hostilité ouverte qui régnait entre Armand et sa sœur, Kristy demeura silencieuse tandis que des domestiques servaient le premier plat, une soupe de cresson accompagnée de toasts chauds et croustillants. Quel rôle était-elle censée jouer dans cette guerre larvée ? Celui d'appât, comme l'avait laissé entendre son hôte ? Dans ce cas, c'était parfaitement réussi. Stéphanie lui avait sauté à la gorge telle une hyène attirée par l'odeur du sang.

Le dîner commença, dans un silence quelque peu tendu. Kristy n'osa pas toucher à ses toasts, de peur de faire tomber des miettes sur la nappe d'un blanc immaculé, et d'attirer l'attention sur elle. Malgré toutes ces précautions, Stéphanie déclara après quelques instants :

— Peut-être êtes-vous plus semblable à votre sœur jumelle que vous ne le pensez, après tout. Colette ne mangeait pas ses toasts, elle non plus.

— Une fascinante analyse, répondit Kristy du tac au tac, d'un air pénétré. C'est en effet très troublant.

François pouffa de rire, tandis que sa sœur rougissait de colère et lui jetait un regard furieux. La riposte lui donna en tout cas matière à réfléchir, car elle n'ouvrit plus la bouche jusqu'à la fin du repas.

Une entrecôte bordelaise succéda à la soupe, suivie d'un assortiment de fromages. Kristy se détendit peu à peu comme la conversation s'animait, essentiellement du fait de François et d'Armand. Les deux frères, en dépit d'une différence d'âge d'une dizaine d'années environ, paraissaient s'entendre à merveille.

— Vous ne nous avez pas dit comment vous aviez atterri dans le même hôtel qu'Armand, observa Stéphanie, sortant enfin de son mutisme entre le dessert et le café.

— C'est une extraordinaire coïncidence. J'étais en route pour Genève, et j'ai décidé sur un coup de tête de m'arrêter dans l'hôtel où mes parents adoptifs avaient passé leur lune de miel.

— Genève ? répéta Stéphanie avec un sourire mauvais. Si vous y étiez allée, vous auriez sans doute trouvé Colette, au lieu de devoir vous contenter de ses gamins.

Kristy frémit de colère mais s'efforça de rester calme. Elle ne pouvait prouver que sa sœur était décédée, et n'avait de toute façon aucune envie de le révéler pour le moment.

— Armand m'a dit qu'il avait enquêté là-bas sans succès, répondit-elle posément.

— C'est vrai. Et à bien y réfléchir, vous la trouverez plus probablement aux Etats-Unis, dans les bras de son Américain.

Cette fois, Kristy décida qu'elle ne pouvait laisser Stéphanie calomnier ainsi sa jumelle.

— Rien de ce que vous pourrez dire ne me fera croire que ma sœur aurait pu abandonner ses enfants pour un homme !

— Quelle étroitesse d'esprit... Colette avait cette même incapacité à affronter la vie.

— Et je suppose que cette vie, vous faisiez de votre mieux pour la lui gâcher ?

Elle avait riposté sans réfléchir, et Stéphanie partit d'un rire amer.

— Pourquoi m'accuser ? Vous avez besoin d'un bouc émissaire pour disculper votre sœur ?

— Qu'a-t-elle fait, au juste ?

— Mon frère ne vous a rien dit ?

— Kristy affirme que nous nous sommes trompés sur Colette, intervint Armand, faussement placide. Et j'ai décidé de la croire.

— C'est merveilleux ! explosa Stéphanie. Et comment Kristy explique-t-elle le départ de sa sœur avec l'Américain ?

— Es-tu bien sûre de les avoir vus partir ensemble ? interrogea Armand d'un ton suave et inquiétant, qui fit frissonner Kristy.

— Je t'ai dit que oui !

— Hmm. Et il était également ton ami, n'est-ce pas ? C'est toi qui l'as invité ici, en même temps que Julie.

Kristy fronça les sourcils, tentant de saisir les implications possibles de ce qu'elle venait d'apprendre. Armand sous-entendait-il qu'il y avait eu une cabale contre Colette, menée conjointement par Stéphanie, Julie et le mystérieux Américain ?

— Ce n'était pas un ami. Juste une connaissance.

— Et tu ne l'as pas revu depuis.

— Non. Je te l'aurais dit.

— Bien sûr...

Armand laissa résonner quelques instants ces deux mots, puis reprit :

— Puis-je te rappeler que Kristy n'a rien à voir avec ce qu'a fait Colette, de toute façon ?

— Armand a raison, intervint Mme Dutournier, de sa voix calme et naturellement autoritaire. Il n'est pas juste...

— Mais c'est très intéressant, coupa Armand de sa voix grave, narquoise et menaçante. On pourrait presque croire que c'est Stéphanie qui a eu le plus à souffrir du départ de Colette. Ce qui est d'autant plus curieux qu'elle n'a pas paru outre mesure affectée, à l'époque.

— Nous avons tous souffert de l'incapacité de Colette à être une bonne épouse ! riposta sa sœur. Tu as gagné au change avec sa disparition, et il serait temps que tu l'admettes.

— Gagné au change ? répéta Kristy, dardant un regard meurtrier à sa voisine. Ma sœur était malade et avait besoin d'aide, et vous dites qu'il a gagné au change ? Etes-vous sûre de ne pas avoir quelque peu hâté son départ, en lui rendant la vie ici insupportable ?

— Pour qui vous prenez-vous ? Vous ne savez rien de votre sœur, de son incapacité à affronter l'existence. Tout ce qu'elle savait faire, c'était fuir.

— Stéphanie..., coupa Armand en se levant brusquement.

— C'est la vérité ! cria sa sœur en se levant à son tour.

— Vraiment ? Ce serait plutôt à moi de décider ce qui est ou non la vérité, tu ne crois pas ? Mais si ça peut t'intéresser, sache que l'on a retrouvé la voiture de Colette, aujourd'hui.

La stupeur tétanisa Kristy dans son siège, en même temps que les autres membres de la famille. Contournant la table, Armand passa derrière Nicole et François, sans quitter sa sœur des yeux.

— Elle est tombée d'une falaise après avoir quitté la route, il y a deux ans. Grâce à sa montre, arrêtée, les enquêteurs ont pu déterminer que l'accident s'est produit le jour même de sa fuite. Ça, c'est la vérité.

Puis, baissant le regard vers sa mère, il ajouta :

— Il est étrange qu'elle ne t'ait pas mentionné sa destination, n'est-ce pas, maman ? A moins que tu n'aies préféré garder cette information pour toi...

L'expression de Clémence Dutournier trahissait un évident conflit intérieur. Pour la première fois, elle paraissait fragile, vulnérable.

— Mais ta sœur a dit...

— Ah, oui, ma sœur a dit, coupa Armand, d'une voix aussi sèche qu'un coup de fouet. Ma sœur a dit beaucoup de choses, comme le fait que Colette était partie avec l'Américain. J'ai maintenant la preuve qu'elle était parfaitement seule dans la voiture. Elle ne s'enfuyait donc pas. Elle allait retrouver l'unique personne qui la soutiendrait en toutes circonstances. Sa sœur jumelle, à la mort de laquelle elle ne pouvait croire. Et elle avait raison !

Il acheva de contourner la table, posa ses deux mains sur les épaules de Kristy et acheva d'un ton de défi :

— Cette sœur jumelle est là aujourd'hui devant vous. Et sachez qu'elle le restera tant qu'elle le voudra. Je lui accorde un accès permanent et prioritaire à mes enfants, parce que c'est la seule chose que je puisse faire pour Colette. Je sais qu'elle l'aurait voulu.

10.

Un silence abasourdi suivit cette déclaration enflammée. La nouvelle de la disparition de Colette et de son innocence imprégnait lentement les esprits.

Kristy n'avait pas douté de la mort de sa sœur, mais le fait de se la voir ainsi rappelée, et confirmée, lui faisait éprouver une désolation infinie. Il lui semblait qu'elle venait, une nouvelle fois, de perdre Colette.

— Pourquoi la voiture n'a-t-elle pas été retrouvée avant aujourd'hui? demanda doucement François.

— Un accident s'était produit au même endroit une semaine plus tôt, et la glissière de sécurité n'avait pas encore été remise en place. Les traces de pneus ont été attribués à cet accident-là. De plus, la voiture reposait en eau profonde, invisible de la route.

— Comment la police l'a-t-elle découverte, alors?

— Kristy m'avait mis sur la voie, expliqua Armand dans un soupir. Elle a subi une sorte de choc psychique au moment de l'accident de sa sœur. Elle a eu l'impression de tomber, puis de se noyer. Elle m'a donné l'heure, et je n'ai eu qu'à calculer la distance que Colette avait pu parcourir pour délimiter le périmètre où l'accident avait pu avoir lieu.

— C'est extraordinaire, murmura Nicole.

— Et votre lien psychique ne vous a pas soufflé ce qu'était devenu l'Américain ? s'enquit Stéphanie avec une hargne non dissimulée.

La colère tira Kristy de la spirale douloureuse dans laquelle elle s'enfonçait. Elle avait déjà rencontré des personnes semblables à Stéphanie. Des charognards qui prenaient plaisir à gâcher la vie d'autrui, qui se repaissaient de leur bonheur avec une avidité vampirique.

A une telle mesquinerie, elle avait toujours opposé l'indifférence, voire la dérision. Mais ce soir, tandis qu'elle imaginait Colette seule dans sa voiture, il lui était impossible de rire, ou de rester neutre.

— Nous n'avons que ta parole que l'Américain est parti avec elle, rétorqua Armand.

— Elle a dû l'abandonner en chemin, alors.

— Ce qui contredit ta thèse selon laquelle ils étaient amants.

— La chose m'a semblé logique. Elle expliquait pourquoi Colette ne partageait plus ton lit.

— Oh, je crois que j'ai une autre explication à cela. Je pense plutôt qu'elle s'est laissé persuader que Julie et moi étions amants. Par toi.

Stéphanie répondit à l'accusation d'un rire grinçant, et demanda :

— Tu essaies de te disculper, Armand ?

— Non. Simplement de comprendre ce qui a pu briser mon mariage. Et ce n'était ni le fait de Colette, ni le mien. Tu as une idée sur la question, maman ?

Kristy se tourna vers Clémence Dutournier, incertaine quant à son rôle dans cette affaire. La mère d'Armand paraissait, en quelques minutes, avoir vieilli de dix ans.

— Tout ce que je peux te dire, c'est que je suis désolée que Colette soit morte.

— Pour ma part, intervint Stéphanie, je ne le suis pas ! Vous êtes tous une bande d'hypocrites !

— Attention à ce que tu dis..., commença François en se redressant à demi.

Mais elle l'ignora, et posa sur Armand un regard méprisant.

— Toi, surtout ! Tout ça parce que tu t'es entiché d'une nouvelle version de Colette ! Nous verrons comment tu réagiras lorsqu'elle non plus ne se montrera pas à la hauteur !

— Stéphanie..., intervint sévèrement sa mère.

— Et les plus beaux vêtements du monde ne transformeront pas une petite souillon en Cendrillon ! coupa Stéphanie, le visage déformé par la colère.

Les secondes suivantes se déroulèrent comme dans un rêve, un rêve dans lequel Kristy aurait été spectatrice de ses propres actions. Mue par son seul instinct fraternel, elle se leva et, vive comme l'éclair, décocha une paire de gifles retentissantes à Stéphanie. Cette dernière poussa un cri d'effroi avant de retomber dans son siège, bouche bée.

— Ma sœur est morte, asséna Kristy. Et vous... Vous tous...

D'un geste, elle désigna la famille Dutournier dans son ensemble.

— Vous auriez pu aider ma sœur, participer à son bien-être. Mais vous avez choisi de ne pas le faire, de l'ignorer. Qui l'a écoutée ? Qui a jamais compris qu'elle avait besoin d'aide ? A cause de vous, elle est morte sans que j'aie pu la connaître !

De grosses larmes éclatèrent sur ses joues, lui

brouillant momentanément la vue. D'un revers de manche, elle les chassa furieusement. Le silence, dans la pièce, était impressionnant.

— Elle est partie, à présent. Je ne la rencontrerai jamais. Et tout ce que vous trouvez à faire, c'est vous disputer pour savoir qui a fait quoi. Mais vous vous moquez bien d'elle !

Sans attendre de réponse, elle pivota pour s'enfuir à toutes jambes. Elle ne regrettait pas d'avoir frappé Stéphanie, ni d'avoir lancé la douloureuse vérité aux membres de la famille qui avaient conduit sa sœur à sa perte.

Sans savoir comment, peut-être par instinct ou en vertu du lien qui l'unissait à Colette, elle retrouva sa chambre sans s'égarer dans le dédale des corridors. Là, elle s'assit sur son lit, enfouit son visage entre ses mains et laissa enfin libre cours à ses sanglots.

Lorsqu'elle se fut calmée, elle se redressa et promena autour d'elle un regard embué. A quoi bon tout ce luxe ? Qu'avait-il apporté à Colette, durant les longues heures qu'elle avait passées ici ? Combien de fois sa sœur s'était-elle approchée de son miroir, tentant de voir ce qui se cachait de l'autre côté, invoquant son prénom comme une incantation ? Chrissie, Chrissie, Chrissie...

Kristy se représentait si bien la scène qu'elle s'approcha elle-même de la coiffeuse. La femme qu'elle voyait dans le miroir, et qui la dévisageait de son regard fiévreux, angoissé, aurait aussi bien pu être Colette...

Brusquement, la souffrance laissa place à une vive résolution, à un sentiment de farouche loyauté.

— Je te ferai justice, murmura-t-elle. Je conquérerai

le respect que tu n'as jamais eu. Je me battrai pour toi, pour tes enfants, pour nous, contre Stéphanie. Et contre Clémence, si besoin est. Quant à Armand...

Elle s'interrompit, sentant sa résolution vaciller. Il était difficile de positionner Armand sur l'échiquier des forces en présence. Etait-il noir, blanc, ou quelque part entre les deux ?

Quelques coups à la porte la tirèrent du maelström de ses émotions. Elle ne se sentait cependant pas d'humeur à parler à quiconque, encore moins à s'excuser.

La porte s'ouvrit et Armand pénétra dans la pièce. Sa seule présence physique constituait une telle invasion de son espace privé que Kristy se redressa pour lui faire face, irritée.

— Je ne vous ai pas invité à entrer !

— Je ne savais pas si vous aviez retrouvé le chemin de votre chambre.

— Vous voyez que oui.

Il acquiesça, mais ne fit pas mine de s'en aller et referma au contraire la porte dans son dos.

— La police m'a appelé pour la voiture de Colette juste avant que nous descendions dans le salon. Je voulais vous l'annoncer après le dîner. Je suis désolé de m'être laissé pousser par Stéphanie à le faire en public.

— A présent, vous savez une chose : je veux bien servir de cible, mais je riposte.

— Et votre puissance de feu est considérable, répondit Armand avec un petit rire.

Vaguement gênée, et se demandant si elle n'était pas allée trop loin, Kristy repartit :

— Vous le méritiez. Tous autant que vous êtes.

— Pas complètement, corrigea son compagnon.

François a toujours été très gentil avec Colette, même s'il n'a pas été là très souvent la dernière année. Il courtisait Nicole qui, elle, n'a presque pas connu votre sœur. Tous deux ne sont mariés que depuis quinze mois.

— Je les ai accusés injustement, alors, murmura Kristy en fermant les yeux.

— Ne vous en faites pas. Ils comprennent parfaitement.

Elle entendit à sa voix qu'il s'était approché et rouvrit brusquement les paupières, tous ses nerfs en alerte.

— Je n'ai jamais giflé personne avant votre sœur et vous. Qu'avez-vous de si particulier pour me provoquer ainsi ?

— Nous vous agressons, d'une façon ou d'une autre.

Il était à présent tout près d'elle, la prenait par les épaules pour calmer les tremblements qui la parcouraient encore. Des ses mains semblait irradier une merveilleuse chaleur que Kristy sentait se communiquer à tout son être.

— Est-ce que vous l'aimiez, Armand ? demanda-t-elle d'une voix brisée.

De longues secondes s'écoulèrent. Les doigts de son compagnon meurtrirent sa chair, mais il ne paraissait pas en avoir conscience.

— Oui, finit-il par répondre. Je l'aimais. Mais pas assez. Je le sais maintenant. Pas assez.

Il la lâcha brusquement et parcourut la pièce, tourmenté par des souvenirs qu'elle ne pouvait pas partager.

— Elle était très belle. Belle et insaisissable, entre l'âge adulte et l'enfance.

Armand s'immobilisa près du lit et caressa l'un des montants du baldaquin avant de reprendre :

— Je voulais la protéger, la couvrir de cadeaux, de belles robes, mettre le monde à ses pieds pour la rassurer. Elle semblait avoir peur de tout... Mais je me suis trompé. Je n'ai pas compris ce dont elle avait vraiment besoin...

Son visage trahissait à présent une souffrance bien réelle, et Kristy ne douta pas un instant qu'il lui ouvrait pour la première fois les portes de son âme.

— L'année qui a précédé son départ, après la naissance d'Eloïse, elle a semblé m'échapper chaque jour davantage. Elle érigeait des barrières entre nous, se refermait sur elle-même.

Brusquement, Armand tourna les talons, se dirigea vers la porte qui menait à sa chambre et l'ouvrit en grand.

— Cette porte lui était ouverte ! s'écria-t-il. C'est elle qui la maintenait fermée !

« Non, rectifia Kristy en son for intérieur. Colette n'y était pour rien. C'était plutôt une combinaison de forces que ni l'un ni l'autre n'avez pu briser. »

Armand revint vers elle, les poings serrés, comme pour lutter contre un soudain désir de tout casser dans cette chambre honnie.

— Elle ne voulait pas de moi dans son lit, elle me fuyait. Elle se servait même des enfants en guise de remparts contre moi. Et il y avait ce reproche dans ses yeux, comme si je l'avais enfermée dans la pire des prisons ! Chaque fois qu'elle me regardait ainsi, j'avais envie de la prendre dans mes bras !

Il joignit le geste à la parole, saisissant Kristy par les épaules.

— Je voulais chasser ses peurs, dissiper ses doutes, restaurer sa confiance en moi. Mais il y avait toujours cette aura de fragilité, autour d'elle.

Tout en parlant, il avait mêlé une main aux cheveux de Kristy. De l'autre, il effleura ses lèvres, si légèrement qu'elle se demanda s'il l'avait vraiment touchée.

— J'avais moi aussi des besoins, vous savez... Des besoins que j'ai réprimés pour ne pas brusquer Colette. Et soudain, vous avez fait irruption dans ma vie. Vous ressemblez à ma femme, mais vous irradiez une sensualité et une assurance qu'elle n'a jamais eues. J'ai trop attendu pour y résister plus longtemps...

Il se pencha vers elle et l'embrassa, avec une telle passion que Kristy se crut sur le point de défaillir. Elle savait, au fond d'elle-même, qu'Armand trouvait en elle un exutoire à d'anciennes frustrations. Mais son propre désir était si violent qu'elle ne put s'empêcher de répondre à son baiser, de se laisser aller dans ses bras.

Confusément, elle se demanda si ce qu'elle éprouvait n'était qu'un écho empathique de ce qu'avait ressenti sa jumelle, ou l'expression d'un besoin qui lui était propre. Mais le feu qui la dévorait chassa bien vite ces interrogations, fracassant la barrière de ses inhibitions.

Plaquée comme elle l'était contre lui, Kristy ne pouvait ignorer la violence du désir d'Armand. Désir qu'il confirma en quittant ses lèvres pour dessiner un sillon brûlant le long de sa gorge, et sur ses épaules. Elle sentit son cœur s'emballer puis, songeant qu'elle aurait aimé produire le même effet sur lui, elle posa une main timide sur son torse d'airain.

Ses dernières réticences s'évanouirent lorsqu'il fit

glisser une bretelle de sa robe le long de son épaule et égratigna sa peau de baisers enflammés. Fébrilement, elle commença de déboutonner sa chemise.

Il leva vers elle un regard sombre, et Kristy se sentit frémir de la tête aux pieds. Que voyait-il en elle ? *Qui* voyait-il ? Elle n'aurait su le dire. Mais un défi passa entre eux durant ce court moment, un défi qu'elle se sentait obligée de relever, quoi qu'il pût lui en coûter par la suite.

Sans prévenir, Armand la souleva dans ses bras et dit d'une voix rauque :

— Pas ici...

Il la conduisit vers la porte de communication entre les deux appartements, jusqu'à sa propre chambre. Malgré son trouble, Kristy comprit qu'il ne voulait pas lui faire l'amour dans ce lieu encore imprégné du souvenir de Colette, ce lieu qui symbolisait le fossé infranchissable qui les avait séparés.

Il faisait noir, au-delà de la porte, mais ses pupilles dilatées s'habituèrent bien vite à l'obscurité. Au lieu de la déposer sur le lit, Armand s'y laissa tomber avec elle tout en l'embrassant furieusement. D'une main, il arpentait toute l'étendue de son corps, tel un éclaireur reconnaissant le terrain avant l'offensive finale. Une offensive que Kristy attendait avec une impatience croissante, fiévreuse...

Comme s'il avait perçu ce désir secret, il remonta brusquement sa jupe sur ses cuisses puis, d'un mouvement tout aussi vif, il la débarrassa de tout ce qui pouvait lui faire obstacle, lui arrachant ses chaussures au passage. Une bouffée d'excitation s'empara de Kristy lorsqu'elle se vit dénudée, totalement exposée à lui.

Armand resta quelques instants figé, le souffle court.

Puis il se déshabilla à son tour, envoyant ses vêtements valser dans la pièce. L'étendard de son désir se dressa dans la nuit moite, arrachant à Kristy une inspiration sifflante. Comme animée d'une volonté étrangère, elle se redressa, fit courir sa main sur son corps incroyablement musclé, s'arrêta sur sa virilité. Un grognement torturé déchira l'obscurité, et retentit à ses oreilles comme la plus douce des musiques.

D'un accord tacite, tous deux se figèrent, emplissant leurs poumons d'un oxygène qui semblait s'être raréfié avant le grand plongeon. Lentement, ils se renversèrent sur le lit. Kristy noua ses jambes autour de la taille de son compagnon, en une chorégraphie sensuelle qu'aucun d'eux n'avait répétée mais qu'ils connaissaient d'instinct. Enfin, d'un seul coup de reins, il pénétra en elle.

Un intense sentiment de complétude la saisit, l'enivra, lui ouvrit les portes d'un monde nouveau. Elle se plaqua contre Armand pour sentir chaque centimètre carré de sa peau contre la sienne. Une sensation électrique et violente la traversa, éveillant la moindre de ses cellules, affolant ses sens. Des fragments lumineux apparurent dans l'obscurité, irisant la nuit.

Abandonnée dans les bras de son compagnon, Kristy se laissait bercer par le délicieux mouvement de va-et-vient qu'il lui imposait. Lentement, le semblant de contrôle qu'elle conservait encore s'ébrécha, laissant passer les premières secousses d'un plaisir sourd, annonciateur d'un véritable séisme.

Puis la nuit explosa en un arc-en-ciel visible d'eux seuls. Kristy entendit un cri d'extase franchir ses lèvres, au moment même où Armand frémissait en elle. Ils retombèrent sur le lit, haletants, encore mêlés l'un à l'autre.

Un délicieux engourdissement s'empara d'elle, l'attirant doucement vers le sommeil. Mais, bien vite, les doutes qu'elle avait enfouis revinrent la hanter. Qui Armand avait-il aimé si passionnément? Kristy Holloway, ou le spectre de son épouse? Et dans le premier cas, n'avait-il pas agi par un instinct qu'il regretterait le lendemain?

11.

Le bras musclé qui pesait sur sa taille la tira de son sommeil, et lui rappela avec une certaine brutalité où elle se trouvait. Lorsqu'elle ouvrit les yeux, elle constata qu'il faisait encore sombre. L'obscurité complice de la nuit était à peine dissipée par l'annonce de l'aube.

Combien de temps avait-elle dormi? Combien de temps s'était écoulé depuis qu'Armand l'avait transportée dans cette chambre? Combien de temps encore avant le matin?

Elle ferma de nouveau les yeux, tentant de tirer les conclusions de cette folle nuit. Avait-elle bien fait de céder à Armand, ou avait-elle commis une erreur? Et, dans l'ignorance de ses intentions, comment était-elle supposée agir? Devait-elle regagner sa chambre comme si de rien n'était, ou attendre que son amant se réveille?

De longues minutes s'écoulèrent, durant lesquelles elle ne parvint pas à prendre la moindre décision. La tentation de rester là, dans les bras de son compagnon, était particulièrement forte. Mais une question la taraudait avec une insistance douloureuse. Et si Armand ne l'avait utilisée que pour exorciser le fantôme de Colette?

Le décès de sa jumelle, de fait, était partiellement responsable de cette situation. Son annonce avait créé un vide en chacun d'eux, un vide qu'ils avaient naturellement voulu combler en se jetant dans les bras l'un de l'autre. Mais qu'adviendrait-il d'eux, à présent? Kristy pourrait-elle vivre comme si de rien n'était au côté d'un homme qui l'avait aimée si passionnément?

Mieux valait réfléchir avant de prendre une décision. Tout cela la dépassait, et mettait en branle un réseau d'intentions secrètes et de fantasmes diffus qu'elle ne pouvait contrôler. Gagner du temps, pour le moment, était sa priorité...

Très lentement, elle s'arracha à l'étreinte d'Armand et glissa un oreiller à sa place, espérant qu'il ne s'apercevrait pas de sa disparition. Puis, sur la pointe des pieds, elle rassembla ses affaires éparses avant de regagner le sanctuaire de Colette, dont elle referma doucement la porte derrière elle.

Un intense soulagement s'empara d'elle sitôt qu'elle se retrouva seule, et elle s'interrogea sur l'opportunité de donner ou non un tour de clé. Une porte fermée laisserait supposer à Armand qu'elle regrettait de lui avoir cédé, ce qui n'était pas le cas. Elle décida donc de la laisser ouverte. Libre à lui de l'utiliser s'il le voulait. Elle n'avait rien à lui cacher, pas même son corps après l'intimité qu'ils avaient partagée.

Rejetant le lourd dessus-de-lit damassé qui couvrait le matelas, elle se glissa entre les draps parfumés et s'installa aussi confortablement qu'elle le put.

Elle ne put d'abord trouver le sommeil, torturée par l'idée d'avoir fait l'amour avec le mari de sa sœur.

Puis elle se rassura en se rappelant qu'elle n'avait pas à rougir de ses actes — surtout deux ans après la disparition d'une femme qu'elle n'avait jamais connue.

Sur cette pensée apaisante pour sa conscience, elle finit par s'endormir.

Elle ne se réveilla qu'à 10 heures du matin, et bondit à bas de son lit sitôt qu'elle eut constaté l'heure. Il était vraisemblablement trop tard pour le petit déjeuner. Nul doute que certains membres de la famille Dutournier lui en tiendraient grief...

Tandis qu'elle se dirigeait vers la salle de bains, son regard se posa sur la porte qui menait à la chambre d'Armand. La tentation était forte de jeter un œil de l'autre côté, mais ce n'était pas à elle de faire le premier pas. Sa place, ce matin, était auprès des enfants.

Elle se doucha en hâte et passa un jean, un T-shirt et des tennis. Elle s'était assez pliée aux caprices du maître des lieux en portant les robes qu'il lui avait achetées. Dorénavant, elle allait redevenir elle-même. Et si la chose déplaisait à Armand, elle n'en avait cure. Elle refusait de se conformer au moule que voulaient lui imposer les Dutournier, ce même moule qui avait fini par briser Colette.

Ainsi vêtue, elle quitta sa chambre et se rendit dans la salle de jeux des enfants. Seule leur gouvernante s'y trouvait, occupée à ranger les jouets.

— Bonjour, Jeanne. J'espérais trouver Pierre et Eloïse...

— Ils sont dans le jardin avec leur père. M. Dutournier voulait être seul avec eux.

— Oh... Je ne voulais pas les déranger.

— Non, non, cela ne s'applique pas à vous. Monsieur a expressément demandé que vous le rejoigniez une fois levée.

Kristy prit une profonde inspiration, soudain angoissée. A l'évidence, Armand ne fuyait pas la confrontation, et elle n'avait d'autre choix que de l'accepter. Remerciant Jeanne d'un sourire, elle quitta la pièce et descendit jusqu'au jardin. Un espace clos d'une haie avait été aménagé sur la pelouse, où s'ébattaient les enfants. Assis à une table métallique dans un coin, Armand les surveillait attentivement. Il n'était cependant pas habillé pour jouer, portant un costume strict et sombre.

Eloïse, qui poussait un chariot de plastique rempli de cubes colorés, aperçut Kristy la première. Son visage s'illumina, et elle poussa un cri de joie.

— Tante Krissie !

Abandonnant son chariot, elle se précipita dans sa direction de toute la vitesse de ses petites jambes. Alerté par l'appel de sa sœur, Pierre abandonna son ballon de football pour se presser à sa suite.

Eloïse arriva la première et s'agrippa en riant au cou de Kristy.

— J'ai gagné ! cria-t-elle à l'intention de Pierre. Tante Krissie est à moi !

— C'est ma tante aussi, protesta l'intéressé. Et elle s'appelle Kristy, par Krissie.

— C'est presque pareil, Pierre, fit valoir Kristy en se baissant pour l'embrasser à son tour. Votre maman m'appelait comme ça, elle aussi.

— Papa nous a dit que maman était au ciel, et qu'elle ne reviendrait pas, annonça gravement le petit garçon.

126

— C'est vrai. Mais nous nous souviendrons toujours d'elle.

— Ce sera facile tant que tu seras là, Tante Kristy.

— Papa dit aussi que maman est devenue un ange, intervint Eloïse, de sa voix fluette. Et qu'elle t'a envoyée pour la remplacer.

— C'est peut-être vrai, murmura Kristy, infiniment troublée.

Ainsi, quoi qu'Armand pensât de la nuit passée, il n'avait pas l'intention de revenir sur sa promesse de la laisser séjourner auprès des enfants aussi longtemps qu'elle le voudrait. Il était impossible, en tant que père, de le prendre en défaut. Mais quelle était sa position vis-à-vis d'*elle* ?

S'efforçant de dissimuler sa tension, et consciente du regard inquisiteur qu'Armand posait sur elle depuis son poste d'observation, elle s'enquit avec un entrain forcé :

— Alors ? A quoi jouez-vous ?

Pierre lui expliqua qu'il s'entraînait pour devenir un grand joueur de football. Eloïse lui construisait des buts à l'aide de ses blocs de plastique colorés.

Armand, pendant ce temps, s'était approché. Les mains dans les poches, il était l'image même de la décontraction. Mais Kristy, qui commençait à le connaître, savait qu'il était maître dans l'art de dissimuler ses sentiments.

Tranquillement, il ordonna aux enfants d'aller jouer tout seuls. Pierre et Eloïse obéirent aussitôt, les laissant tous les deux face à face. Kristy, la gorge nouée, se sentait incapable d'articuler un mot. Il lui semblait, sous le regard brûlant de son compagnon, être aussi nue et vulnérable que lorsqu'elle s'était réveillée près de lui, quelques heures plus tôt.

— J'espère que vous me pardonnerez ma conduite de la nuit dernière, déclara-t-il enfin. Je n'ai aucune excuse, et rien à dire pour ma défense.

Elle ferma les yeux, oscillant entre le soulagement et la déception.

— Vous ne m'avez pas violée, Armand, s'entendit-elle répondre.

Rouvrant les yeux, elle constata que son vis-à-vis la dévisageait avec perplexité, sourcils froncés.

— Je ne savais pas jusqu'à quel point je vous avais imposé mes propres désirs. Lorsque je me suis réveillé et que j'ai constaté que vous n'étiez plus là... Vous ne m'en voulez vraiment pas ?

— Nous étions deux. J'avais ma part de responsabilité.

Il baissa les yeux, mais elle eut le temps d'y lire un immense soulagement.

— Attribuons ce qui s'est passé à l'émotion, ajouta-t-elle, soucieuse de ne pas trop s'engager.

— C'est ça. Je ne veux pas que vous soyez mal à l'aise avec moi. Ou que vous vous sentiez menacée.

A ces mots, Kristy ressentit un pincement de dépit. Il n'avait apparemment pas essayé d'ouvrir sa porte, sans quoi il aurait compris qu'elle ne se sentait pas le moins du monde menacée.

— Je suppose que ça ne se reproduira pas, marmonna-t-elle.

— Non, bien sûr, répondit Armand après quelques secondes. Si vous voulez bien m'excuser, à présent, je vais devoir vous laisser. Certaines démarches relatives à... à la mort de Colette requièrent mon attention. Mais je ne voulais pas partir avant de m'assurer que tout allait bien. Je voulais être sûr de vous retrouver en rentrant.

— J'ai deux excellentes raisons de rester, fit valoir Kristy, laissant son regard dériver vers les enfants.

— J'en suis heureux, fit son compagnon, avec une telle ferveur qu'elle s'empourpra.

« Pour eux, ou pour vous ? » faillit-elle demander. Mais elle se retint au dernier moment.

— Je serai absent la majeure partie de la journée, reprit-il. S'il y a quoi que ce soit que vous vouliez...

— Non, tout ira bien.

— Parfait. A tout à l'heure, alors.

Elle se hasarda à le regarder droit dans les yeux et le regretta aussitôt lorsqu'elle le sentit de nouveau plonger en elle, comme pour lire ses pensées les plus secrètes.

— Votre présence ici est essentielle, souligna-t-il d'une voix douce, qui lui fit l'effet d'une caresse.

Kristy lui répondit d'un sourire vacillant, puis tourna les talons pour lui dissimuler son trouble. Du coin de l'œil, elle vit son compagnon s'éloigner, s'arrêter près des enfants pour les embrasser, puis disparaître dans la maison. Au lieu de répondre aux questions qu'elle se posait, il en avait soulevé de nouvelles. Qu'attendait-il d'elle, exactement ?

« Qui vivra verra », décida-t-elle. Cette maxime lui fut cependant d'une bien maigre consolation, surtout lorsqu'elle se rappela la folle passion de la nuit précédente. Armand lui avait assuré qu'un tel événement ne se reproduirait pas, et elle aurait dû en être satisfaite.

Comment expliquer, alors, l'immense tristesse qui lui rongeait le cœur ?

12.

Kristy passa le reste de la matinée à jouer avec les enfants, et en profita pour les interroger sur leurs relations avec toute la famille. Elle apprit ainsi que leur grand-mère était une femme qui les impressionnait et qu'ils respectaient, que Nicole leur donnait souvent des bonbons, que François venait souvent jouer avec eux. Jeanne, leur gouvernante, était clairement leur adulte préférée, à l'exception bien sûr de leur père, qu'ils vénéraient. Pas une seule fois ils ne firent mention de Stéphanie, ce qui laissait supposer que leur tante les ignorait et qu'ils ne se sentaient pas liés à elle.

Sur le coup de midi, Jeanne vint les chercher pour les conduire dans la cuisine. Kristy serait bien volontiers restée avec eux, mais Thérèse parut dans le jardin et lui apprit que Clémence Dutournier l'attendait à déjeuner dans la serre attenante à la maison. Elle hésita quelques secondes avant d'accepter l'invitation, puis décida qu'il était préférable d'affronter son hôtesse au plus vite si elle devait passer quelque temps en ces lieux. Pour rien au monde, cependant, elle n'aurait déjeuné en compagnie de Stéphanie.

— Qui d'autre sera là ? demanda-t-elle à Thérèse.

— Seulement vous, mademoiselle.

— Parfait. Je vous suis.

Thérèse lui fit faire un grand tour du château, qui lui permit de mieux comprendre l'architecture et l'organisation de la demeure. Le bâtiment était en forme de U. Les appartements d'Armand et de François se déployaient dans une aile, ceux de Clémence et de sa fille dans l'autre. Entre les deux se trouvaient les salons et diverses pièces communes. Un réseau de couloirs labyrinthique reliait l'ensemble.

La serre était adossée à l'arrière du château, magnifique espace de lumière et de verdure. Ses murs et son plafond, entièrement faits de verre, laissaient le soleil baigner une véritable jungle de plantes exotiques. Des meubles en rotin étaient disposés dans les espaces laissés libres par les pots vernissés. Sur une petite table, le couvert était dressé pour deux.

Clémence se tenait près d'une cage et parlait à voix basse à deux inséparables, offrant un tableau touchant qui contrastait avec l'image que Kristy se faisait du personnage.

— Madame ? l'interpella Thérèse.

— Est-ce qu'elle viendra ? interrogea la maîtresse des lieux, sans se retourner.

— Je suis là, répondit Kristy.

Clémence Dutournier pivota vivement, et jaugea d'un bref coup d'œil sa tenue et ses tennis couvertes de poussière.

— Je suis désolée, s'excusa-t-elle avec un sourire. J'avais juste entendu les pas de Thérèse. Et pour être franche, je m'attendais à ce que vous refusiez mon invitation.

La franchise de son interlocutrice dérouta momentanément Kristy, qui décida qu'elle lui devait la même honnêteté.

— Je voulais avoir votre point de vue sur Colette, précisa-t-elle.

— Bien entendu.

D'un geste de la main, Clémence congédia sa gouvernante.

— Merci, Thérèse. Dites à Henri que nous allons manger.

Dès qu'elles se retrouvèrent seules, la maîtresse de maison lui fit signe de s'asseoir à table, avant de prendre place en face d'elle. Un court silence s'installa entre elles, que Clémence rompit la première.

— Je compatis à ce qui vous arrive, Kristy. Avoir été séparée si longtemps de votre sœur, et la retrouver trop tard... Je comprends votre réaction d'hier soir. J'aurais fait de même.

— Je suis désolée de m'être emportée.

— Non, vous en aviez parfaitement le droit. Ni Armand ni Stéphanie ne vous ont épargnée. Et je me sens un peu responsable, moi aussi. Je ne me préoccupais que des problèmes que pourrait provoquer votre présence, sans égard pour vos sentiments.

Kristy fronça les sourcils. Un tel revirement était surprenant, mais son interlocutrice paraissait sincère.

— Pouvez-vous me dire pourquoi Stéphanie est si hostile à Armand ? demanda-t-elle.

La mine de Clémence Dutournier s'allongea, en même temps que se lisait dans son regard une intense lassitude.

— Armand est l'aîné de la famille, et c'est un homme. Stéphanie a toujours ressenti le fait qu'elle n'était ni l'un ni l'autre.

132

— Et ma sœur ? Pourquoi la détestait-elle ?

— Il n'y avait rien de personnel, contrairement à ce que vous pourriez croire. Stéphanie détestait Colette simplement parce qu'elle était l'épouse d'Armand, et qu'elle devenait à ce titre la châtelaine de Crécy, après moi. Elle affirmait que Colette était incapable de remplir ce rôle.

— Et... c'était vrai ?

— Oui et non. Colette n'avait certes pas les épaules assez larges pour gérer la propriété, mais Armand s'en serait occupé. Dans un premier temps, j'ai moi-même essayé d'aider votre sœur, de lui apprendre le fonctionnement de Crécy. Mais plus j'essayais de la guider, plus elle se refermait en elle-même. J'ai fini par renoncer.

— Comment était-elle ? interrogea Kristy, qui commençait à se détendre. Je veux dire... dans la vie de tous les jours ?

— Aussi différente de vous que le jour et la nuit. Je n'aurais jamais pu avoir ce genre de conversation avec elle, par exemple.

— Comment cela ?

— Disons que Colette avait quelque chose... d'éthéré. Comme si elle n'était pas vraiment de ce monde, ou qu'elle ne s'en préoccupait pas. Je crois qu'elle avait mené une vie très protégée avant d'arriver ici. Peut-être trop.

Kristy ne répondit rien, pensive, ce qui poussa la mère d'Armand à ajouter :

— Vous savez, Colette n'était pas malheureuse, ici. Je dirais même que tout s'est bien passé, avec Armand, jusqu'à la naissance d'Eloïse.

— Oui. La dépression post-natale est un phéno-

133

mène assez grave. Et vous avez engagé une gouvernante qui n'a pas arrangé les choses, ajouta Kristy, désireuse de voir comment Clémence réagirait.

— J'avais espéré qu'elle apporterait un peu de stabilité aux enfants, répondit l'intéressée avec une grimace. Je dois avouer que je me suis trompée sur toute la ligne.

— Ce dont votre fille n'a pas manqué de profiter.

— Oui. Je commence tout juste à mesurer l'étendue du mal qu'elle a fait.

— Pourquoi voulait-elle à tout prix jeter Julie dans les bras d'Armand ?

— C'est assez simple. Stéphanie a toujours eu un très fort ascendant sur Julie. Une fois devenue l'épouse d'Armand, elle l'aurait manipulée et aurait pu obtenir la gestion effective de Crécy. Mais c'est fini, à présent.

— J'en doute fort. Votre fille ne doit pas être le genre de femme à renoncer aisément.

Clémence Dutournier se mordit la lèvre, visiblement hésitante, puis déclara :

— Stéphanie a quitté Crécy ce matin. Il lui faut à présent se construire une vie propre, loin d'Armand. Elle ne remettra plus les pieds ici.

— Vous voulez dire... qu'il l'a bannie du château ?

— Oui. Mais c'est pour le mieux, même si je dois perdre ma fille.

— Je suis désolée, murmura Kristy, compatissante.

— Il est difficile d'être mère, reprit Clémence avec un sourire triste. François a toujours été ma joie, Armand ma fierté, Stéphanie mon épreuve. Pourtant, je les aime tous les trois de la même façon.

Henri arriva à cet instant, poussant une desserte chargée de salades diverses. La conversation se poursuivit pendant tout le repas sur des sujets moins sensibles, presque badins. Ce ne fut que lorsque le café leur eut été servi que Kristy se décida à revenir sur la raison de leur déjeuner.

— J'apprécie énormément votre honnêteté, Clémence... Tout ce que vous m'avez dit m'a beaucoup touchée.

— Je voulais que vous sachiez que je ne suis pas votre ennemie. Je n'ai pas prêté assez d'attention aux besoins de Colette, et beaucoup trop à ceux de Stéphanie. Je n'aurais pas dû tolérer la présence de cet Américain, par exemple.

La mère d'Armand se tut un instant, puis redressa la tête et avoua brusquement :

— Stéphanie l'a payé pour disparaître en même temps que Colette.

Kristy écarquilla les yeux, atterrée.

— Vous le saviez? Et durant tout ce temps, vous avez laissé votre fils croire que...

— Non! Je ne l'ai découvert que cette nuit, quand je suis allée confronter Stéphanie dans ses appartements. La haine dont elle avait fait preuve à votre égard, durant le dîner, m'avait mis la puce à l'oreille. Elle m'a avoué qu'elle avait payé l'Américain. C'est alors que j'ai réalisé à quel point j'avais été aveugle, durant toutes ces années. Et je ne puis que vous demander, au nom de votre sœur, de me pardonner. Le ferez-vous?

Kristy sourit et, impulsivement, couvrit de sa main celle de Clémence.

— Bien sûr. Colette l'aurait voulu. Il faut continuer à vivre, à présent, veiller à ce que les enfants puissent grandir dans une famille soudée.

« Mais quelle sera ma place dans cette famille ? » se demanda-t-elle aussitôt, avec un pincement d'angoisse.

— Tout va bien ? demanda son interlocutrice, plissant les yeux. Vous semblez chagrinée. J'espère que mes révélations ne vous ont pas...

— Non, non, j'en suis ravie, au contraire.

— Parfait. Je vais devoir vous laisser, à présent. Si vous avez besoin de quoi que ce soit, appelez un domestique. N'oubliez pas... Vous êtes ici chez vous.

13.

— Papa !

Pierre se précipita vers son père, qui venait de pénétrer dans la salle de jeux. Eloïse, pour sa part, resta sagement près de Kristy, à feuilleter l'album de photos que sa mère avait fait d'elle. Preuve s'il en fallait que la dépression n'avait pas empêché Colette d'aimer sa fille.

Kristy, à cette idée, avait le cœur lourd. Et la présence d'Armand n'arrangeait rien. Elle leva les yeux vers lui, vers cet homme qui avait épousé sa sœur, qui lui avait donné deux enfants et revenait juste d'avoir réglé ses formalités mortuaires. En l'observant, Kristy fut prise d'un désir égoïste et étreignant de l'avoir pour elle seule.

— Papa ! répéta Pierre, tirant sur sa manche.

Après quelques secondes, durant lesquelles il soutint le regard de Kristy, Armand baissa enfin les yeux vers son fils.

— Est-ce que maman t'a dit qu'elle allait au ciel dans son mot ?

— Quel mot ?

— Je me rappelle qu'elle en a écrit un, le jour où

elle est partie. Elle l'a donné à Mme Marchand en disant que c'était pour toi.

Kristy sentit son cœur se serrer et vit Armand s'agenouiller près de Pierre, sourcils froncés.

— Tu es sûr de ce que tu dis? Mme Marchand ne m'a jamais donné ce mot.

— C'est parce que Tante Stéphanie lui a pris.

Un éclat menaçant brilla dans les yeux d'Armand. Mais, au prix d'un évident effort, il sourit et répondit d'un ton dégagé :

— Ah, ce mot-là... Non, elle ne disait pas qu'elle allait au ciel. Juste qu'elle allait chercher Tante Kristy. Elle ne savait pas encore qu'il lui fallait monter au ciel pour ça.

— Et devenir un ange, ajouta Pierre en hochant la tête.

— C'est ça. Un ange magnifique, qui veillera toujours sur nous.

Les yeux de Kristy s'emplirent de larmes, qu'elle repoussa furieusement.

— A présent, reprit Armand, vous allez rester jouer, pendant que Tante Kristy et moi irons nous promener.

— On ne peut pas venir, nous aussi? demanda plaintivement Pierre.

— Pas cette fois.

Sur un signe d'Armand, Kristy referma l'album photo, le rendit à Eloïse et quitta la pièce après avoir embrassé chacun des enfants. Quelques instants plus tard, sans avoir prononcé un mot, tous deux émergeaient dans le jardin, à l'arrière du château.

Les mains enfoncées dans ses poches, Kristy marchait la tête baissée, sans songer à interroger son compagnon sur leur destination. Elle était bien trop pré-

138

occupée par la reconstitution du scénario tragique qui s'était joué en ces lieux, deux années plus tôt. Colette ne s'était pas enfuie, mais avait décidé de se rendre à Genève et avait laissé un mot derrière elle. Seul son accident avait empêché les mensonges de Stéphanie d'éclater au grand jour...

— Je ne laisserai plus jamais ma sœur remettre les pieds ici, décréta Armand à cet instant précis, comme s'il avait lu dans ses pensées. Je ne lui pardonnerai jamais ce qu'elle a fait. C'était vous qui aviez raison. Colette était innocente.

Kristy ne répondit pas aussitôt, luttant contre la tristesse immense qui lui serrait le cœur. Rien ne pourrait faire oublier à Armand ce qui était arrivé, mais la vie ne s'arrêtait pas pour autant.

— Je crois que votre mère aussi a compris ses erreurs, déclara-t-elle doucement.

— Encore heureux ! Si vous n'étiez pas venue, elle serait toujours à la merci de Stéphanie. Quand je pense qu'elle cautionnait cette... meurtrière !

— La mort de Colette était un accident.

— Peut-être. Mais Stéphanie en est indirectement responsable.

— N'y pensez plus. Vous devez laisser Colette reposer en paix, à présent que vous la savez innocente.

Armand lui jeta un regard furtif, puis demanda d'une voix tendue :

— Pourrez-vous jamais me pardonner ?

— Il n'y a rien à pardonner. Vous avez été abusé. Il est normal que vous ayez essayé de trouver des réponses à vos questions, à partir de ce que vous saviez. Ou plutôt, de ce que vous pensiez savoir.

— Sans vous, je serais resté dans l'ignorance...

— Je peux en dire autant, renchérit Kristy avec un rire étranglé. Sans vous, je n'aurais jamais su que j'avais une sœur jumelle. C'est... extrêmement important pour moi.

— Je sais.

Ils continuèrent de marcher quelques instants en silence, et Kristy constata qu'ils suivaient le tracé d'un sentier de gravier qui cheminait vers un bois touffu. Elle sentait le regard d'Armand peser sur elle, et rougit à l'idée qu'il se remémorait peut-être les événements de la nuit précédente.

— Avez-vous pris des dispositions pour l'enterrement de Colette? demanda-t-elle, soucieuse de meubler le silence.

Son compagnon s'immobilisa, et désigna du doigt un bâtiment de pierre visible derrière les troncs noirs de pins centenaires.

— Vous voyez la chapelle, après les arbres? Elle fait partie du château. Ma famille l'utilise depuis des générations pour les baptêmes, les mariages et les enterrements. Colette sera inhumée dans le cimetière qui se trouve derrière, à côté de mes aïeux.

Kristy sourit, apaisée par l'idée que sa sœur reposerait près de ceux qu'elle avait aimés. D'une certaine façon, cela répondait à son propre désir d'enracinement, de stabilité. Elle ne voulait plus d'une vie instable, d'un sol mouvant sous ses pieds. Plus de tremblements de terre. Juste la paix, enfin.

Lentement, son regard dériva vers le magnifique parc qui l'entourait. Quel merveilleux écrin pour sa sœur! Une sœur qu'elle saurait enfin où trouver, en toutes circonstances. Car Colette vivrait désormais en ces lieux qu'elle avait autrefois connus, parmi ces arbres creusés par le temps mais encore solides. Elle renaîtrait à chaque printemps avec les fleurs, lui parlerait par la brise...

— Elle sera heureuse, ici, murmura Kristy. Près de vous, près des enfants...

— Et près de vous, ajouta doucement Armand. C'était ce qu'elle voulait. Que nous nous trouvions.

— Je... je ne suis pas très sûre de comprendre de quoi vous parlez, marmonna Kristy d'un ton faussement dégagé, espérant faire ainsi oublier les taches de couleur qui poudraient ses joues.

— Vous ne vous êtes jamais demandé pourquoi vous étiez arrivée à l'hôtel à cet instant précis ?

Elle se figea et se tourna vers lui, troublée par cet écho à ses propres interrogations.

— Vous ne voulez tout de même pas dire que...

Elle s'interrompit pour secouer la tête, trouvant ridicule l'idée d'avoir été poussée par une intervention surnaturelle à s'arrêter à Paris.

— Je vous ai dit pourquoi je suis descendue dans cet hôtel, reprit-elle. Il n'y a rien de bien extraordinaire là-dedans.

— Mais vous ne savez pas pourquoi je m'y trouvais *moi*, avec Julie.

— Est-ce que c'est important ?

— Jugez-en. J'avais enfin décidé d'accepter ce que Julie m'offrait depuis si longtemps. Elle n'exigeait pas que je l'épouse, et la perspective d'avoir une amante aussi accommodante était particulièrement tentante. Mais vous avez débarqué au beau milieu de notre rendez-vous.

Des souvenirs éclatèrent aussitôt dans l'esprit de Kristy... Armand et Julie penchés l'un vers l'autre, le champagne, les sourires qu'ils échangeaient... Elle se rappelait les avoir pris pour deux jeunes mariés, et avoir détesté cette idée...

Armand avait raison. La coïncidence était pour le moins étrange. Colette l'avait-elle envoyée pour faire obstacle au plan de Stéphanie, à la dernière minute? Des forces qui dépassaient sa compréhension l'avaient-elles poussée à descendre à l'Hôtel du Soleil Levant?

Dans l'incapacité de répondre à ces questions troublantes, Kristy décida de se concentrer sur un sujet plus concret.

— Julie et vous n'étiez donc pas déjà amants?

— Non. Et nous ne le serons jamais. Je l'ai appelée après notre dîner, le premier soir, pour m'excuser d'avoir laissé ce genre de relation se développer entre nous.

A cette nouvelle, un soulagement presque enivrant s'empara de Kristy. Armand en avait fini avec Julie, et avec Stéphanie. Mais cela ne l'éclairait pas davantage sur le rôle qu'il comptait lui accorder à l'avenir.

— Je suis heureuse que tout soit clair dans votre esprit, commenta-t-elle avec une touche d'agacement.

— Tout s'est éclairci dès que je vous ai vue, le premier soir.

— Parce que vous m'avez prise pour votre femme.

— Non. C'était bien plus que ça. Il y avait en vous une force, une énergie que je n'avais jamais ressenties auparavant. J'ai essayé de les nier, d'y résister. Je n'ai pas pu m'empêcher de vous embrasser, dans la chambre, malgré ma colère. Et vous vous êtes laissé faire...

Kristy posa sur lui un regard trouble, oscillant entre le désir insensé qu'elle éprouvait et la crainte d'avoir mal interprété ses propos.

— Pourquoi vous êtes-vous laissé faire, Kristy?

Elle ferma les yeux pour lui cacher sa vulnérabilité. Puis, lorsqu'elle sentit sa main se fermer sur son menton, une soudaine résolution éclata dans son esprit. Pas de compromis!

Rouvrant les yeux, elle répliqua avec fougue :

— Parce que vous avez éveillé en moi un appel que je ne pouvais contrôler. Parce que je n'ai pas pu m'empêcher de vous embrasser en retour. Et ça n'avait rien à voir avec Colette! Rien! Je ne savais même pas que j'avais une sœur à ce moment-là!

Elle se dégagea de son étreinte, en proie à une soudaine colère.

— Si vous croyez que c'est Colette qui m'a poussée dans vos bras, je vous prierai désormais de garder vos distances, poursuivit-elle. Je suis *Kristy,* pas Colette. Je ne vous permettrai pas de vous servir de moi pour ressusciter votre femme.

Son compagnon écarquilla les yeux, visiblement choqué par cette idée.

— Vous croyez que c'est ce que je cherche?

— Que suis-je supposée croire? Vous m'habillez comme Colette...

— Non! Je vous ai fait choisir ces vêtements. Si c'est à cause de Stéphanie que vous ne les portez plus...

— Stéphanie n'a rien à voir là-dedans, pour une fois. Ce jean et ces tennis, voilà ce que je suis vraiment.

— C'est ce qu'il y a en vous qui m'intéresse, Kristy.

— Vraiment? Et qu'est-ce qui m'assure que vous dites vrai? Que ce n'est pas ma sœur que vous voyez quand nous faisons l'amour?

— Votre sœur est morte, Kristy, fit valoir Armand avec une certaine brusquerie. Peut-être a-t-elle voulu nous réunir.

— Arrêtez avec ça !

— Non.

— Vous aimiez Colette !

— J'aimais Colette, mais je vous adore ! Je la désirais, mais je suis fou de vous. Tout ce que je ressens pour vous est décuplé par rapport à ce que j'ai toujours connu !

Kristy se figea, intriguée par sa véhémence, sentant un frisson d'espoir naître en elle.

— Vous m'avez pris mon âme, Kristy. Sans vous, je serais incomplet.

Elle ferma brièvement les yeux, ivre de stupeur. Armand éprouvait les mêmes impressions qu'elle !

— Lorsque je vous vois, enchaîna-t-il, je n'éprouve pas cette envie de vous protéger, comme avec Colette, mais de vous posséder tout entière, de me perdre en vous jusqu'à ce que nous ne fassions plus qu'un...

Abasourdie par l'intensité de son aveu, elle ne songea même pas à protester lorsqu'il la prit dans ses bras et l'embrassa. Puis une joie immense éclata en elle.

Oui, il était sincère. Elle le sentait à la façon presque fébrile dont les lèvres d'Armand quêtaient son approbation.

Alors, avec un soupir de bonheur, elle lui rendit son baiser.

14.

Une foule d'invités se pressait dans le grand salon de réception du château. Chacun voulait être le premier à féliciter les mariés, et Kristy sentait la tête lui tourner sous l'effet conjugué de l'émotion et de l'excitation. Le bras d'Armand, autour de sa taille, lui assurait cependant un soutien sans faille.

Du coin de l'œil, elle vit François passer avec son fils dans les bras, pour le présenter avec fierté à tout le monde. Nicole l'aperçut également et se dirigea aussitôt vers lui, sans doute pour le réprimander d'avoir réveillé le bébé.

— Oh-oh, murmura Kristy à l'oreille de son mari. On dirait que ton frère va avoir des problèmes.

— Mais non. Il est juste fou de joie d'être père, et Nicole lui pardonnerait n'importe quoi.

Comme il était facile de pardonner à quelqu'un que l'on aimait, songea Kristy. Stéphanie le comprendrait-elle un jour? Elle l'espérait pour elle.

Pierre parut brusquement devant eux, dans le sillage d'un serveur, suivi fidèlement d'Eloïse. Tout son être exprimait une intense résolution.

— Papa? Eloïse veut savoir si nous pouvons appeler Tante Kristy maman?

Kristy sentit son cœur se serrer. La petite fille posait sur elle un regard adorateur, s'imaginant sans doute qu'elle était elle aussi un ange dans sa superbe robe de mariée.

— Il faut le lui demander, répondit doucement Armand en s'agenouillant près de ses enfants. Kristy, veux-tu être la mère de ces deux petits diables?

Avec un rire ému, Kristy se pencha pour les serrer affectueusement dans ses bras.

— Bien sûr, murmura-t-elle.

Les enfants exprimèrent leur joie à grands cris ravis, puis partirent en trombe annoncer la nouvelle à leur grand-mère. Cette dernière interrompit sa conversation avec un invité pour les écouter, et adressa à Kristy un sourire de chaleureuse approbation. Clémence Dutournier, au cours des derniers mois, était devenue une amie précieuse, et Kristy se sentait désormais chez elle dans cette vaste demeure qui l'avait d'abord impressionnée.

— Il va nous falloir partir si nous voulons être à Paris à temps, déclara Armand, regardant sa montre.

Kristy lui sourit, vibrante d'expectative. Après une nuit à l'Hôtel du Soleil Levant, ils s'envoleraient pour Tahiti. Le retour se ferait via San Francisco, où elle se chargerait de vendre tout ce qui lui restait là-bas avant de venir s'établir définitivement à Crécy.

— Je vais monter me changer, annonça-t-elle.

— Tu veux mon aide? interrogea son mari avec un regard malicieux.

— Nous aurons tout le temps ce soir. Reste avec les enfants.

Elle éprouvait en fait le besoin d'être seule quelques instants, mais elle ne comprit pourquoi que quelques minutes plus tard, après avoir troqué sa robe de mariée pour un élégant tailleur prune. Elle s'apprêtait à quitter la pièce lorsque son regard tomba sur son bouquet de mariée...

La lumière se fit dans son esprit. Sans hésiter une seconde, elle le prit et quitta le château par une porte de service. D'un pas vif, elle se dirigea vers la chapelle où sa sœur s'était mariée, où ses enfants avaient été baptisés et où avaient été célébrées ses funérailles, quatre mois plus tôt. Contournant le petit bâtiment, elle pénétra dans le paisible cimetière qui se trouvait derrière et s'arrêta devant une dalle de pierre brute portant pour seule mention : « Colette Dutournier », suivie de ses dates de naissance et de mort.

Lentement, Kristy s'agenouilla, passa la main sur la pierre granuleuse et le nom gravé en lettres dorées, puis déposa enfin son bouquet. Les larmes aux yeux, elle murmura :

— Nous nous sommes enfin retrouvées, Colette. Pas de la façon dont nous l'espérions, bien sûr, mais je me sens proche de toi. J'aime Armand, j'aime tes enfants, et je veillerai à ce que tous chérissent ta mémoire. J'espère avoir fait ce que tu aurais voulu de moi. Et si tu es un ange, bénis la vie que je commence ici, et que je n'aurais jamais connue si tu ne m'avais pas guidée...

Une paix intense envahit son cœur tandis qu'elle se redressait pour quitter les lieux. Lorsqu'elle leva les yeux, elle aperçut Armand, qui se tenait près de la grille du cimetière.

— Ça me semblait normal de partager ce moment avec elle, expliqua Kristy en prenant la main que son mari lui tendait.

Il acquiesça, et l'attira tendrement dans ses bras.
Puis, étroitement enlacés, ils tournèrent le dos au passé
et se dirigèrent vers le château — confiants dans l'avenir que le hasard, ou la tendresse d'un ange, leur avait
offert.

Le nouveau visage de la collection Or

◆

AMOURS D'AUJOURD'HUI

Afin de mieux exprimer sa modernité et de vous séduire encore davantage, votre collection Or a changé de couverture et de nom depuis le 1er mars 1995.

Rassurez-vous, les romans, eux, ne changent pas, et vous pourrez retrouver dans la collection **Amours d'Aujourd'hui** tous vos auteurs préférés.

Comme chaque mois, en effet, vous y attendent des héros d'aujourd'hui, aux prises avec des passions fortes et des situations difficiles...

**COLLECTION
AMOURS D'AUJOURD'HUI :**
Quand l'amour guérit des blessures de la vie...

Chère lectrice,

Vous nous êtes fidèle depuis longtemps?
Vous venez de faire notre connaissance?

C'est pour votre plaisir que nous avons
imaginé un rendez-vous chaque mois
avec vos auteurs préférés, vos
AUTEURS VEDETTE dans les
collections Azur et Horizon.

Les AUTEURS VEDETTE vous
donneront rendez-vous pour de
nouveaux livres vedette.

Pour les reconnaître, cherchez
l'étoile ... Elle vous guidera!

Éditions Harlequin

HARLEQUIN

LE FORUM DES LECTEURS ET LECTRICES

CHERS(ES) LECTEURS ET LECTRICES,

VOUS NOUS ETES FIDÈLES DEPUIS LONGTEMPS?

VOUS VENEZ DE FAIRE NOTRE CONNAISSANCE?

SI VOUS AVEZ DES COMMENTAIRES, DES CRITIQUES À
FORMULER, DES SUGGESTIONS À OFFRIR, N'HÉSITEZ
PAS… ÉCRIVEZ-NOUS A:

      LES ENTERPRISES HARLEQUIN LTÉE.
      498 RUE ODILE
      FABREVILLE, LAVAL, QUÉBEC.
      H7R 5X1

C'EST AVEC VOS PRÉCIEUX COMMENTAIRES QUE NOUS
ALLONS POUVOIR MIEUX VOUS SERVIR.

DE PLUS, SI VOUS DÉSIREZ RECEVOIR UNE OU
PLUSIEURS DE VOS SÉRIES HARLEQUIN PRÉFÉRÉE(S)
À VOTRE DOMICILE, NE TARDEZ PAS À CONTACTER LE
SERVICE D'ABONNEMENT; EN APPELANT AU
(514) 875-4444 (RÉGION DE MONTRÉAL) OU 1-800-667-4444
(EXTÉRIEUR DE MONTRÉAL) OU TÉLÉCOPIEUR
(514) 523-4444 OU COURRIER ELECTRONIQUE:
AQCOURRIER@ABONNEMENT.QC.CA OU EN ÉCRIVANT À:

      ABONNEMENT QUÉBEC
      525 RUE LOUIS-PASTEUR
      BOUCHERVILLE, QUÉBEC
      J4B 8E7

MERCI, À L'AVANCE, DE VOTRE COOPÉRATION.

BONNE LECTURE.

HARLEQUIN.

VOTRE PASSEPORT POUR LE MONDE DE L'AMOUR.

ROUGE PASSION

De fiévreuses histoires d'amour sensuelles!

De provocantes histoires d'amour passionnées et romantiques qu'on lit d'une seule traite. Aventureuses, parfois humoristiques, et sensuelles, elles mettent en vedette des hommes et des femmes d'aujourd'hui.

ROUGE PASSION . . . quatre nouveaux titres chaque mois.

COLLECTION
HORIZON

Des histoires d'amour romantiques qui
vous mènent au bout du monde!

Découvrez la passion et les vives
émotions qu'apportent à la Collection
Horizon des auteurs de renommée
internationale!

Captivantes, voire irrésistibles, ces
histoires d'amour vous iront
assurément droit au coeur.

Surveillez nos quatre nouveaux titres
chaque mois!

Composé sur le serveur d'EURONUMÉRIQUE, à MONTROUGE
PAR LES ÉDITIONS HARLEQUIN
Achevé d'imprimer en mai 2000
sur les presses de l'Imprimerie Bussière
à Saint-Amand-Montrond (Cher)
Dépôt légal : juin 2000
Nº d'imprimeur : 893 — N º d'éditeur : 8294

Imprimé en France